D1029049

Pour Alain,
pour Eva, Katia, Flora
et Antoine

Sommaire

Scènes de la vie quotidienne
au bureau : un fauteuil-emblème, un pool
de secrétaires comme on n'en voit plus,
l'indispensable assistante ou la vision
désordonnée d'une salle de rédaction.
Le bureau, un art de vivre qui se raconte au fil
du temps (pages 1, 2, 4-5 et page ci-contre).

L'ART DE BIEN VIVRE AU BUREAU

J'ai toujours trouvé surprenant qu'on s'intéresse si peu à cet endroit où l'on passe presque tous huit heures par jour, sinon plus. Dans la plupart des pays industrialisés, un bureau, c'est une table, une chaise, un téléphone, quelques meubles de rangement, une corbeille à papier et un portemanteau. Un univers à peine égayé par le blanc cassé du micro-ordinateur et les feuilles brillantes des plantes vertes. Malgré quelques variantes de-ci, de-là, il n'y a pas à s'y tromper, le bureau ressemble toujours à un bureau.

Le bureau est un mal-aimé. Les mots qui s'y rattachent sonnent comme des insultes : travail, qui étymologiquement est dérivé du mot torture, bureaucrates, fonctionnaires, plumitifs, horaires, petit chef, stress, etc. Pourtant des millions de personnes se rendent, chaque matin, au bureau et pensent qu'il n'y a rien de spécial à dire sur cet univers lié à la banalité moderne.

Mais le bureau est aussi un lieu de vie, de convivialité et d'échanges sociaux. Où l'on peut se faire des amis, connaître les plaisirs du travail bien fait et les joies de l'ascension sociale, la reconnaissance, la responsabilité, et mille autres éléments d'épanouissement. Quoi de plus stimulant qu'une équipe de travail qui fonctionne bien ! La preuve, c'est que le travail à domicile, dont on disait qu'il allait signer l'arrêt de mort du bureau, ne se développe que très lentement. Rester chez soi, relié à l'entreprise par un téléphone et un ordinateur, semble pour beaucoup synonyme de solitude et de perte de la réalité sociale.

Reste que le bureau est le grand absent de nos représentations quotidiennes. Dès qu'on le quitte, on l'oublie jusqu'au lendemain. La télévision ou le cinéma prennent volontiers pour décor des appartements un peu excentriques, des maisons de rêve. Le bureau, lui, est peu présent, ou alors sous deux variantes : somptueux s'il s'agit de celui du P-DG, triste si c'est celui de l'employé. Seules quelques séries télévisées savent nous montrer les locaux d'un journal ou d'un commissariat comme des lieux où se joue toute la condition humaine : le drame mais aussi la solidarité, les passions, les rires et l'angoisse, dans un décor minimal où les gens courent et les téléphones sonnent.

Le bureau serait un moule dans lequel on se coule, en oubliant tout le reste. Un no man's land. Une traversée du désert entre 8 heures 30 et 18 heures 30, cinq jours par semaine. Tout juste si on ose punaiser une affiche dans un coin ou apporter une photo, un cendrier ou un bouquet de fleurs. Comment se fait-il qu'on dépense tant d'énergie à décorer sa maison et si peu à personnaliser son lieu de travail ? D'ailleurs l'univers du travail et son aménagement n'intéressent personne ou presque. Qui est responsable du décor ? On ne sait pas très bien.

Tout le monde passe son temps au bureau, mais personne n'en parle. Y aurait-il un interdit ? Si les ouvrages sur l'entreprise et l'art du management se comptent par centaines, on ne trouve quasiment rien sur les espaces de travail. En France, comme à l'étranger, très peu de chercheurs se penchent sur le bureau et son aménagement.

La collection dans laquelle paraît ce livre nous permet enfin de réhabiliter – un peu – le bureau. Apporter un regard nouveau, réfléchir à cette question qui nous concerne tous : puisqu'on vit au bureau, pourquoi ne pas y développer un art de vivre ?

Architecte, avec une formation en psychologie, je m'intéresse à l'espace en général et à son influence sur la vie quotidienne. Le cadre n'est jamais neutre, il est stimulant ou réfrigérant, il encourage une équipe ou contrecarre ses efforts, il exacerbe les tensions ou les réduit, bref, il contribue au bon moral ou au malaise de tous. À travers des interventions en entreprise, mon métier consiste à essayer de changer l'organisation des espaces de travail pour réduire les dysfonctionnements des groupes et des individus.

Cet ouvrage n'est pas une étude sur l'architecture des immeubles de bureaux ni sur la conception globale de leur installation (halls, espaces d'accueil, salles de réunions) mais une réflexion sur le bureau lui-même, c'est-à-dire la pièce où le travail s'effectue, et sur la façon dont l'installation, le décor intérieur et la vie qui s'y déroule sont intimement liés. Il propose une réflexion sur le bureau, tel que nous le voyons aujourd'hui. D'où vient-il ? Comment est-il né ? Comment évolue-t-il ? À quelles visions du travail renvoie-t-il ? Comment est conçu son décor ?

C'est une incursion dans l'intimité du bureau : lieu du pouvoir classique, bureau d'entreprise privée ou publique, de profession libérale ou d'écrivain ou encore bureau chez soi.

Nous avons visité toutes sortes d'entreprises en France ou à l'étranger, à la recherche des exemples les plus innovants et les plus originaux. Avec le secret espoir de donner au lecteur l'envie soudaine et irrésistible de s'inspirer des exemples donnés ici ou là pour mieux conjuguer art de vivre et travail.

Une brève histoire

Du tapis de bure
des moines
au Moyen Âge,
à la planche posée
sur deux tréteaux,
du meuble créé par
les grands ébénistes
aux immeubles
à usage de bureaux.

Témoin involontaire, confident d'un instant, l'écrivain public s'immisce, le temps d'une lettre, dans l'intimité de ses visiteurs. Ici, il est mis en scène par le peintre L. Carabin vers 1890. Ce métier n'a pas disparu aujourd'hui, mais la machine à écrire ou le micro-ordinateur ont remplacé la plume, le parchemin et l'écritoire (page précédente).

Assis en tailleur, un rouleau de papyrus sur les genoux, la main repliée sur un pinceau aujourd'hui disparu. Attentif, disponible et indispensable, le scribe est un homme fier car « de tous les métiers humains qui existent sur terre, et dont le dieu Enlil a nommé les noms, il n'a nommé le nom d'aucune profession plus difficile que l'art du scribe ». (2563/2423 avant J.-C. env.)

Tout commence à Sumer, il y a près de 5 000 ans, avec des histoires de comptabilité. Avec des petites billes rangées soigneusement dans des bulles d'argile qui servent en quelque sorte d'enveloppe. Sur les bulles on dessine délicatement les objets et les schémas des transactions, car toute opération doit être enregistrée. Peu à peu ces dessins sophistiqués donnent naissance à l'écriture cunéiforme. Au début, des tablettes de bois recouvertes d'une fine couche de cire, afin de pouvoir les réutiliser, font l'affaire. Puis la tablette d'argile apparaît, d'un emploi pas toujours facile. En effet, il faut avoir sous la main des jarres humides pour conserver l'argile fraîche, du soleil pour sécher les tablettes, un four pour les cuire.

L'ÉCRITOIRE DU SCRIBE

En Égypte, 3 000 ans avant Jésus-Christ, chargé de la rédaction des actes administratifs et religieux, le scribe est un personnage affairé. Très demandé, il court d'un endroit à l'autre, avec son matériel léger et son écritoire. Saluons-le au passage, c'est lui l'inventeur du bureau mobile – qui sera celui du XXIe siècle, mais n'anticipons pas. Avec son air attentif et intelligent, son côté « je vous écoute et j'en fais mon affaire », curieux de savoir, il examine et enregistre, analyse, classe, ordonne et enseigne. Sa vie est consacrée à son métier, mais il en retire quelques satisfactions, à en croire ce papyrus : « Leurs ouvrages sont leurs pyramides, leur calame est leur rejeton, et la pierre gravée est leur épouse. Les puissants et les humbles sont devenus leurs enfants. Car le scribe, c'est lui leur chef. »

Il écrit sur ses genoux, accroupi, à l'aide d'une petite écritoire formée de deux planchettes de bois reliées par une charnière en corne et en os. La planchette du haut a un réceptacle pour l'encre noire et les étuis contenant les roseaux du scribe. Il y dessine même des plans, comme en témoigne la statue du Gudia, prince de Lagash, du musée du Louvre, dite *L'Architecte au plan* (vers 2150 avant J.-C.). Le bureau « mobile » est né. D'emblée l'écriture est variée et le travail de bureau éclectique. Les lettrés égyptiens se réunissent de temps à autre, dans le « scriptorium », une pièce commune qui est en quelque sorte l'ancêtre de nos salles de réunions.

Entre la rédaction des pièces comptables, l'enregistrement des transactions, les inventaires et les odes aux dieux, les scribes ont un travail fou, comme en témoigne un tableau de comptabilité mensuelle établi vers 2400 avant J.-C. (conservé au musée du Louvre) ou encore les 17 000 tablettes retrouvées dans les années 70 lors des fouilles sur l'acropole de Tell Mardiker près d'Alep en Syrie. Elles décrivent « une avalanche de comptes, des comptes quotidiens, des comptes mensuels, des comptes d'offrande, des comptes de rations, des comptes de viandes, des comptes de grains, des comptes d'étoffe, des brouillons de comptes, des récapitulatifs de comptes. Aucune entreprise ou aucun état moderne n'est plus capable d'accumuler une telle masse de paperasserie », soulignent les auteurs de *La Naissance de l'écriture*.

Ainsi, bien avant la naissance du bureau, on avait inventé la bureaucratie… Et les plus anciens papyrus retrouvés sont un bel exemple de paperasserie administrative.

Très vite se pose l'éternel problème du rangement et du classement des documents. Que faire de toutes ces tablettes d'argile, de ces rouleaux de papyrus ? Des paniers en vannerie, ou des jarres étiquetées, constituent le premier mobilier de bureau dans les temples, puis dans des bibliothèques. Les tablettes sont classées par catégorie. On y trouve des exercices d'école, des manuels, des dictionnaires, des encyclopédies et des recueils scientifiques, ainsi que des proverbes et des contes moraux. Le scribe est un homme ordonné. Au besoin, il utilise la menace contre les négligents : « Le lecteur qui ne détournera pas le document et le replacera dans le porte-tablette, qu'Ishtar [une déesse] le regarde avec joie ; celui qui, de l'Eanna, [la bibliothèque] le fera sortir, qu'Ishtar le dénonce avec colère. »

Les tablettes d'argile se révélant, à l'usage, trop fragiles, le papyrus de la vallée du Nil est adopté. C'est un produit magique qui sert à tout, aussi bien aux voilures des bateaux qu'aux sandales, pagnes ou paniers. Léger et pratique, avec un toucher semblable à la soie, il est utilisé jusqu'à l'invention du parchemin (ou velin) qui connaît un grand succès grâce à sa texture résistante et agréable à utiliser. Le parchemin concurrence le papyrus dès le Ier siècle après J.-C. Très écologique, il se lave, se réutilise et évolue du rouleau au codex. Vers le XVe siècle, l'utilisation du papier, connu en Chine depuis plusieurs siècles, se développe en Occident, et trace la voie de l'imprimerie au milieu du XVe siècle. Le XXe siècle invente la disquette informatique, d'un usage autrement plus sophistiqué. Nous y reviendrons.

Jusqu'ici la posture adoptée est assis ou accroupi, devant une table basse, ou encore avec une écritoire posée sur ses genoux. Écrire debout devant un lutrin devient une pratique courante à partir du XIIIe siècle.

Le scribe ne sort jamais sans sa palette : une planchette avec deux encriers circulaires pour l'encre rouge et l'encre noire, un plumier à calames, petits roseaux taillés pour écrire. Un couvercle à glissière ou une simple fente facilite le rangement des pinceaux. L'une d'elles, avec ses nombreux godets, devait appartenir à un peintre dessinateur chargé de décorer les vignettes des papyrus.

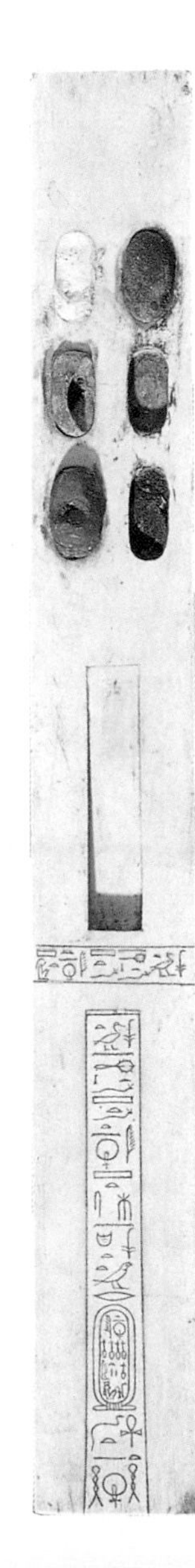

Dans la *Scuola degli Schiavoni*, à Venise, le peintre italien Carpaccio commence en 1502 un décor illustrant la vie des trois saints. Le studio de saint Augustin, grand théologien de l'Église catholique, est celui d'un humaniste. L'artiste détaille avec amour les livres aux reliures colorées, les partitions de musique, les petits bronzes alignés sagement. Saint Augustin entend saint Jérôme lui annoncer sa mort dans une vaste pièce, aux couleurs claires, empreinte de sérénité (page ci-contre).

Une représentation classique de saint Augustin, patron des théologiens et des imprimeurs, peinte par Botticelli. Saint Augustin est dans une alcôve, assis sur un simple banc. À sa droite, des livres, à ses pieds, des notes et des plumes d'oie dans un désordre improvisé.

LE MOINE ET LA VIE DE BUREAU

Le moine est le père du bureau. En bonne logique, il lui a donné son nom de baptême. En effet, le mot « bureau » vient du tapis de table (bure), que l'on pose sur un plan incliné, au Moyen Âge. La bure, c'est une grosse toile de laine, qui isole le parchemin de la planche de bois et évite ainsi de le détériorer. Mais elle sert aussi à confectionner les vêtements ecclésiastiques.

Le travail d'écriture est maintenant la spécialité des moines. Ils s'y livrent dans le scriptorium, une pièce fonctionnelle et chauffée, au cœur de l'abbaye. Les livres sont énormes. Pas question de les emmener avec soi, pour travailler ici ou là. Les moines copistes écrivent et enluminent debout devant des lutrins posés sur de grandes tables ou des socles. Ils travaillent à heures fixes. Ce sont eux, les inventeurs de la vie de bureau, telle qu'elle se pratique encore à notre époque. Avec quelques différences : le moine travaille debout et la cloche appelant aux offices n'est pas de même nature que la sonnerie des téléphones...

Carpaccio a peint, au XVe siècle, *Saint Augustin travaillant dans sa bibliothèque recevant la vision de saint Jérôme*, assis sur un banc, sur une estrade entourée de livres, en compagnie de son petit chien. Un lutrin et des étagères couvertes d'ouvrages complètent le décor dans un bel espace, très haut sous plafond, avec un sol ocre. Le mobilier est fixe, pratique usuelle à cette époque, et intégré parfois dans l'épaisseur des murs.

Nous possédons aussi de nombreuses représentations de saint Jérôme, parfois assis dans une posture assez inconfortable, lisant avec un lion accroupi à ses pieds qui symbolise ici la maîtrise du corps nécessaire pour accéder au travail intellectuel. Image un peu solennelle. On le voit aussi debout avec un lutrin utilisable en position assise et un pupitre haut pour les lectures debout. Antonello da Messina, le peintre sicilien, l'a peint vers 1456, dans sa chambre, aperçu à travers l'encadrement d'une porte. L'espace est compartimenté par l'écritoire, les étagères et un portique en perspective. Tous les objets familiers sont à portée de la main dans une pénombre chaude et discrète, qui évoque l'ambiance des peintures flamandes. Le siège est confortable, le pupitre pratique avec ses livres et ses étagères à portée de main. Par terre, quelques objets, dont un petit banc.

LE NOTAIRE ET LES PREMIERS MEUBLES DE BUREAU

Erwin Eichinger, peintre anglais du XIXe siècle, représente ici un juriste. Une plume d'oie à la main, il officie sur une table recouverte d'une bure, entouré de livres et de papiers, dans un décor d'inspiration médiévale. Un cabinet de travail face à une fenêtre ouverte sur un paysage champêtre.

Dans l'ombre du moine surgit peu à peu un personnage important : le notaire. Sous le règne de Saint Louis, au XIIIe siècle, par exemple, ils sont soixante dans la prévôté de Paris. Comme le moine, le notaire travaille fréquemment le dimanche. Sa fonction, son influence morale et financière le mettent sur un pied d'égalité avec le clergé car « dans la vie civile, il assiste à l'origine et à la fin de toutes choses, comme le prêtre dans l'ordre religieux », souligne l'historien Théodore Zeldin, dans son *Histoire des passions françaises*.

Mais sa vie est beaucoup plus agitée ! Il assure de nombreux rôles, greffier de justice, bailli, procureur d'office, percepteur, juriste, homme d'affaires et même banquier... À la fois fonctionnaire et à son compte, il rédige toutes sortes d'actes et de transactions, des contrats de commandes, d'associations, etc. Il tient différents registres et assiste à la naissance des premières banques entre le XIIIe et le XVe siècle. Il travaille sans arrêt et court les routes, comme les scribes auparavant, avec une écritoire portative dans son sac... Mais, contrairement au scribe et évidemment au moine, le notaire a un bureau à la maison. C'est la grande nouveauté. Même si jusqu'au XVIIIe siècle on qualifie ce bureau de « boutique ». (Le mot « étude » n'apparaît qu'en 1736.) Le notaire est l'inventeur du bureau privé tel que nous le connaissons aujourd'hui. Il le partage avec ses commis qui logent chez lui.

Chargé également de la tenue des énormes cadastres, le notaire invente le mobilier de bureau : armoires en bois avec de multiples casiers, cartonniers, bibliothèques... Il affectionne aussi les meubles de rangement pas trop hauts, surmontés d'un lutrin pour consulter des documents. La table de travail, jusque-là toute petite, s'agrandit pour recevoir les lourds cadastres.

Enfin l'administration royale prend de l'importance, avec les juges, prévôts, lieutenants, avocats et procureurs du roi. Les clercs-notaires, qui possèdent l'écriture, deviennent les hommes de confiance du souverain. Henri-Jean Martin rapporte, dans son livre *Histoire et pouvoirs de l'écrit*, qu'il sort de leurs bureaux sous le règne de Philippe IV (1328/1350) environ 35 000 lettres scellées. Un nombre impressionnant ! Ils sont entourés d'une administration, celle de la chancellerie, tout un personnel de greffiers, de notaires et de secrétaires. On comprend qu'ils aient eu besoin de s'organiser, de se créer des pièces de travail et un mobilier adéquat pour assurer des tâches aussi fastidieuses.

À partir du XIVe siècle, la comptabilité change dans les milieux marchands italiens. On l'utilise dorénavant en partie double. Deux écritures, de sens contraire, sont passées pour chaque opération, l'une en crédit, l'autre en débit. Les premières bourses permanentes s'installent au cœur des villes. Le papier devient une valeur chargée de significations multiples, même si le papier-monnaie n'apparaît qu'au XVIIIe siècle. L'imprimerie est inventée. La poste se structure. Les transactions changent de nature et se professionnalisent. Les marchands qui échangent des pièces de monnaie, avant d'aller boire un verre pour sceller leur marché, possèdent parfois des bureaux, des meubles démontables dits « de changeur », un coffre en fer chargé sur un mulet.

Le peintre Walter Salder (1854/1923) est le fils d'un homme de loi. Observateur attentif, il dépeint ici *Une rupture de contrat chez un notaire*. Le drame se joue autour d'un bureau plat à double face. Avec un grand souci du détail, il restitue l'atmosphère d'un cabinet de notaire envahi de paperasses.

Ce petit bureau à caissons, époque Régence, porte l'estampille de J. Dubois. Décor d'animaux, de rinceaux et feuillages en placage d'écaille rouge, de cuivre, de nacre et d'ébène. J. Dubois, ébéniste de renom sous le règne de Louis XV, a remplacé les pieds d'origine par des pieds cambrés pour le mettre au goût du jour.

Un « mazarin » est un bureau à huit pieds avec des caissons latéraux. Le premier fut créé par Golé pour Louis XIV vers 1669. On ignore l'origine de ce nom mais une chose est sûre, le cardinal de Mazarin n'en possédait pas. Ce modèle-ci en marqueterie de bois d'amarante et d'étain date du XVIIe siècle (ci-dessous).

Waddesdon Manor en Angleterre, autrefois propriété des Rothschild. Un décor du XVIIIe siècle avec des peintures de Gainsborough, Reynolds ou Guardi, des porcelaines de Sèvres et des belles pièces de mobilier français. Au premier plan, l'imposant bureau à cylindre richement ouvragé ayant appartenu à Beaumarchais (page ci-contre).

Peu à peu, ils laissent place aux hommes d'affaires qui ne peuvent se réfugier à l'auberge pour signer quelques papiers. Ils ont besoin de confidentialité et de place pour étaler leurs documents. Le bureau va prendre son essor. La solution basique, deux tréteaux et une planche, qui était le bureau ordinaire jusqu'ici, n'est pas pour autant abandonnée : elle connaîtra une nouvelle jeunesse au XXe siècle, et sera redessinée par le designer italien Achille Castiglioni en 1940.

Le bureau est l'héritier de ces personnages. Du scribe au notaire, on retrouve le même souci d'enregistrer le présent, de témoigner, de faire partager l'information. Le mobilier est inventé et s'adapte à ces fonctions. Mais l'histoire n'est pas finie...

LE BUREAU-MEUBLE, DU XVIe AU XVIIIe SIÈCLE

Au XVIe siècle, le plan horizontal s'impose avec une hauteur standard de 70 à 75 cm. Le tapis de bure fait corps avec la table. La bure est devenue bureau. Très simple, au début, des tréteaux et une planche, puis un support et quatre pieds, il se sophistique par la suite. Le bureau s'équipe de plateaux à charnières et de volets rabattables.

Désormais, il faut s'asseoir pour étudier ou travailler... On ne reste plus debout devant son lutrin. Mais on ne s'intéresse pas encore aux sièges. Le bureau renferme les biens les plus précieux : lettres, argent, reconnaissance de dettes, actes de propriété, etc. Un décor approprié doit le signaler. Vers 1520, le bureau se pare de marqueterie à motifs de fleurs ou de paysage, puis se recouvre d'ivoire, d'écaille ou d'étain au fil du temps. Certains, que l'on appelle des « mazarins », ont huit pieds, un plateau marqueté, avec trois tiroirs de chaque côté encadrant un tiroir central et nous semblent aujourd'hui bien étriqués lorsqu'il faut y glisser les jambes.

Au XVIIe siècle, le bureau se sophistique et devient secrétaire. Il réunit écritoire et rangements, avec souvent des tiroirs secrets. Le tout se dissimule sous un abattant. C'est un meuble discret qui ressemble beaucoup à une commode. Dans la seconde moitié du XVIIe siècle, le grand plateau se transforme pour laisser place à deux ou trois tiroirs dans l'épaisseur. La surface augmente. Le bureau devient imposant, la pièce autour également, avec ses bibliothèques et ses commodes. Le fauteuil s'élargit, lui aussi. Une horloge et une mappemonde terrestre ou céleste viennent compléter le décor.

Enfin, de nouveaux métiers apparaissent avec les administrateurs. Ils gèrent et exercent les compétences (finances, justice, police, etc.) que l'État s'attribue. Sous Louis XIV, par exemple, l'administration française occupe tout juste deux ailes du château de Versailles. Les ancêtres des fonctionnaires travaillent d'abord dans le logement de l'intendant puis s'installent des bureaux dans les dépendances. À la fin du règne de Louis XIV, ils sont une douzaine à s'occuper des Affaires étrangères, et près de deux cents, à la fin de l'Ancien Régime.

Ils portent l'uniforme de drap noir, souligné de différentes passementeries qui marquent leur rang, et effectuent des tâches d'hommes de plume. Abel Poitrineau nous raconte leur vie quotidienne dans son ouvrage *Ils travaillaient la France* : préparer et collationner les dossiers, rédiger des mémoires, suivre des affaires, veiller sur les archives. Henri-Jean Martin, l'auteur d'*Histoire et pouvoirs de l'écrit*, précise que « les minutes des arrêts du conseil, qui font cependant déjà foi, sont inscrites d'une plume rapide sur une feuille volante ; les intendants, qui ne disposent que d'un bureau réduit, évitent au maximum toute paperasserie non indispensable ».

LE MEUBLE ET LA PIÈCE

À partir du XVIIIe siècle, on accorde de plus en plus d'importance à la « vie privée ». Elle s'oppose à la vie de représentation, et entraîne une répartition différente des activités au cours de la journée. La notion d'intimité se développe, la vie en famille s'oppose dorénavant à la « vie de travail » et aux activités de réception.

Désormais, le travail va s'organiser dans des lieux précis. Jusqu'ici, tout se mélangeait dans le temps, comme dans l'espace. Dans l'habitat, une même pièce accueillait de multiples activités. Vers 1755, dans les milieux aisés, apparaît la salle à manger. Une pièce est maintenant affectée à cette seule activité. C'est la fin de la polyvalence. La chambre se privatise, le cabinet de toilette devient un endroit personnel. L'affectif entre à la maison et induit ainsi une redistribution radicale des pièces et des fonctions. Les mœurs s'affinent. Il faut à présent se mettre à l'abri des regards, des odeurs et se protéger des bruits. Les domestiques et les enfants sont éloignés.

À cette époque, les femmes de l'aristocratie et de la grande bourgeoisie animent des salons. Mme de Tencin baptise le sien « le bureau d'esprit ». Elle y reçoit Marivaux, Montesquieu et Fontenelle.

Ci-dessus, un bureau-secrétaire à cylindre en bois de rose, d'époque Louis XVI qui, une fois ouvert, laisse apparaître des petits tiroirs de rangement et un plan de travail à tirettes recouvert de cuir patiné.

En 1789, Le portraitiste Louis Léopold Bailly peint Robespierre, grande figure de la Révolution française, assis devant un bureau à cylindre (page ci-contre). Pour la petite histoire, on retrouve ce même bureau dans un autre tableau du peintre, *La Famille Gohin*.

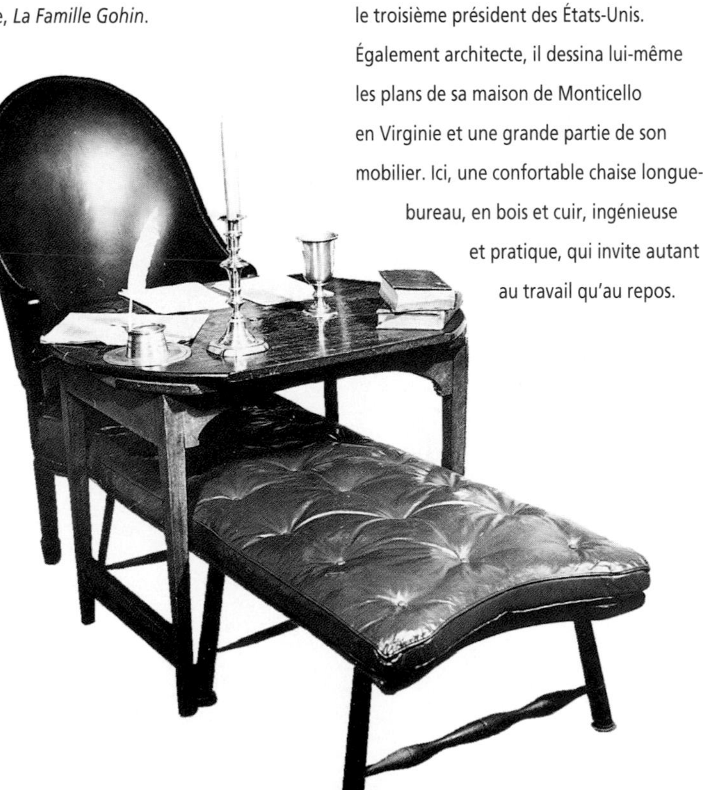

Thomas Jefferson n'a pas été seulement le troisième président des États-Unis. Également architecte, il dessina lui-même les plans de sa maison de Monticello en Virginie et une grande partie de son mobilier. Ici, une confortable chaise longue-bureau, en bois et cuir, ingénieuse et pratique, qui invite autant au travail qu'au repos.

Garniture de bureau de style Louis XVI en lapis-lazuli montée sur or ciselé, rehaussée d'émeraudes. Une des premières commandes de René Boivin, célèbre joaillier qui travailla tout d'abord comme orfèvre dans l'atelier familial à la fin du XIXe siècle.

Le bureau-bibliothèque de Napoléon à la Malmaison où il vécut quand il était Premier consul à partir de 1799.
Au premier plan, une carte de la bataille d'Arcole en Italie où Napoléon remporta une victoire difficile contre les Autrichiens en novembre 1796. Un mobilier style Retour d'Égypte dans une architecture classique (page ci-contre).

Napoléon fera grand usage des « bureaux de campagne ». Ici un bureau mécanique de Giovanni Socchi fabriqué à Florence en 1810. Fermé, il ressemble à une commode-tambour, reposant sur six pieds. Ouvert, c'est un bureau complet avec une chaise, un abattant pour écrire et des rangements.
Un chef-d'œuvre d'ébénisterie, exposé au château de Fontainebleau.

Le bureau privé évolue dans deux directions. Placé au milieu du salon, il fait partie de la vie de représentation de son propriétaire. Relégué dans un cabinet privé, il soustrait le travailleur aux regards. Il demeure cependant l'apanage des privilégiés lettrés et fortunés et ne prendra son essor qu'un peu plus tard.

Dès le début de la Régence, vers 1715, les modèles de meubles se sophistiquent. Le cylindre est à la mode. Sur une grande table, un meuble de rangement se ferme par un pan de bois coulissant en forme de cylindre. Idéal pour masquer le désordre. Le visiteur ne peut plus s'asseoir face à son interlocuteur, il s'installe de côté, ce qui implique une relation plus chaleureuse.

Une version étonnante, plus tardive, au XIXe siècle, dessinée par J.F. Puteaux, se trouve au musée Carnavalet, à Paris. C'est un magnifique bureau à cylindre avec, de part et d'autre, deux secrétaires incorporés qui permettent à trois personnes de travailler ensemble en préservant chacune son intimité.

La posture assise face à une table est définitivement adoptée et devient synonyme du « travail ». La place pour glisser les genoux et les jambes sera plus ou moins vaste, le plan de travail, d'une hauteur immuable, sera plus ou moins grand. Des rangements, tiroirs, étagères, casiers s'ajouteront ou se retrancheront. Les matériaux varieront. De nombreuses déclinaisons seront possibles, nous le verrons, mais le principe ne changera plus. Il s'agira toujours d'un bureau, le partenaire de l'homme au travail, son prolongement, qui commence quand le corps s'arrête. Un compagnon qui fonctionne comme un centre de communication avec lui-même et avec les autres.

D'ARCOLE

Le bureau de Guillaume II, petit-fils de la reine Victoria, roi de Prusse et empereur d'Allemagne de 1888 à 1918. Dans un espace réduit, un secrétaire à cylindre, un bureau plat et une haute table-écritoire à tiroirs trouvent leur place. À noter, un étonnant tabouret à vis qui ressemble à un cheval mécanique.

Le cabinet de travail personnel de Nicolas Ier. Cette pièce aménagée en 1829 permettait au tsar, grâce à un télégraphe optique, de superviser les manœuvres navales entre Kronstadt et Saint-Pétersbourg. Télescopes, compas et porte-voix en argent sont conservés ici. Les murs et le plafond sont habillés de superbes trompe-l'œil (page ci-contre).

La vie de famille tient une place importante dans l'existence de Nicolas II et d'Alexandra, derniers souverains de Russie.
Dans leur palais de Tsarskoïe Selo, le cabinet du tsar où Alexandra venait souvent s'asseoir, sans aucun protocole, sur le bureau pour quelques moments d'intimité.

La reine Victoria, en 1893, ne sacrifiait rien à son confort. Même en pleine nature indienne, parasol, paravent et tapis assurent le plus grand agrément possible à ce bureau de campagne. La petite-fille de George III, mère de neuf enfants, joua un grand rôle en politique étrangère. Elle est ici en compagnie de son fidèle serviteur indien Abdul Karim, qui resta auprès d'elle jusqu'à sa mort (page ci-contre).

Cabinet de travail ou wagon de chemin de fer ? Lampes de table, ventilateur, canapé de cuir, fauteuils, secrétaire ou table, mais aussi tapis, lambris et bronze : un décor assez inattendu. Tout est conçu pour faciliter le travail pendant les longs déplacements dans les provinces indiennes et faire oublier que nous sommes dans un train en 1906 (ci-contre).

Le siège du Crédit Lyonnais, construit en 1876, boulevard des Italiens, par W. Bouwens Van der Boijen représente la modernité absolue. Les Parisiens découvrent un nouveau monument « qui, semblable au papillon abandonnant son enveloppe de chrysalide, sortit un jour tout achevé », rapporte un journaliste. Un atrium de 21 m de haut surmonté d'une verrière surplombe les premiers guichets sans grille ni vitres.

Un grand volume typique de 1925, très haut sous plafond, un sol en parquet et un mobilier en bois ciré foncé pour cette banque commerciale italienne. Les employés sont face à face, séparés par des casiers à papiers. Une ambiance studieuse, sans machines à écrire ni téléphone. Un univers exclusivement masculin (page ci-contre).

LES PREMIERS IMMEUBLES

Au début du XIXe siècle, un même immeuble offre à la fois des habitations et des lieux de travail dans une véritable continuité urbaine. Les bureaux se situent de préférence au rez-de-chaussée et à l'entresol. Le notaire ou l'avocat, on l'a vu, exercent dans leur propre salon. Les besoins en bureaux restent modestes. À Paris, en 1848 (recensement de la chambre de commerce de Paris), plus d'une entreprise sur deux ne compte qu'une personne, et seulement 7 000 entreprises (soit 11%) emploient plus de 10 personnes.

Les banques existent depuis le XVIIIe siècle. La Banque de France date de 1800 et la Bourse est inaugurée en 1826. Mais c'est avec le développement du système bancaire, sous le Second Empire, que les besoins en espaces de travail apparaissent. D'où la création d'un quartier d'affaires entre la Bourse et l'Opéra à Paris.

Hector Horeau, architecte utopiste infatigable qui ne construira pratiquement rien, mais dessinera sans arrêt des projets pour embellir Paris, propose, dès 1871, un immeuble de bureaux, « rigoureusement sans logis », sur l'emplacement du vieil Opéra de Paris. Autour d'une vaste cour couverte d'une verrière et aménagée en jardin d'hiver et d'été, il déploie des bureaux reliés par une batterie d'ascenseurs, placés en façade, qui représentent alors le dernier cri de la technologie. En proposant ce programme et ce traitement architectural, Horeau, le semeur d'idées, est tout à fait révolutionnaire. Récemment encore, de très grandes firmes ont construit leur siège social sur ce modèle. Plus de cent ans plus tard, il représente la modernité la plus chic.

Les banquiers sont très en avance sur leur temps et se lancent, les premiers, dans la construction des espaces tertiaires.

En 1876, Henri Germain, président fondateur du Crédit Lyonnais, décide d'implanter, boulevard des Italiens à Paris, le siège parisien de sa banque. L'inauguration a lieu le 21 mars 1878. Les Parisiens découvrent un monument impressionnant, conçu par l'architecte Bouwens Van der Boijen, qui devient l'archétype des sièges de banque. Un grand atrium, recouvert d'une verrière, des guichets « à l'anglaise » sans grilles, ni vitres. « Je renonce à décrire cette salle des pas perdus qui donnerait une salle de bal sans pareille grâce à ses 310 becs de gaz et son lustre », s'exclame Adrien Marx dans *Le Figaro*. Au sous-sol, la salle des coffres-forts. Le rez-de-chaussée accueille la clientèle, l'entresol offre de beaux salons aux visiteurs étrangers, le premier étage est celui de la direction. Les étages supérieurs sont réservés aux services

Le premier ascenseur avec une mécanique de sûreté est inventé par Otis en 1853. Il devient électrique en 1880, grâce à Siemens. Avec la tour Eiffel, les visiteurs ébahis découvrent les bienfaits de cette invention. Dès lors, son installation dans les cages d'escaliers se généralise.

En 1889, le bureau de Gustave Eiffel a une adresse unique et prestigieuse à Paris : plate-forme du quatrième étage, 320 m, tour Eiffel. Les fauteuils capitonnés, les gravures encadrées et le papier peint rehaussé d'une frise donnent à ce petit boudoir un charme étrange et désuet. Une atmosphère intime pour oublier les soucis de ce chantier extraordinaire. Difficile de croire que nous sommes au sommet de la tour Eiffel ! (ci-dessous).

Employé de bureau très jeune, Eastman effectue des recherches le soir et met au point, en 1884, les pellicules souples. Il lance avec succès l'appareil Kodak et la société du même nom. Ici, dans ses locaux, un aménagement typique : les bureaux à cylindre se font face, obligeant les visiteur à s'asseoir sur le côté (page ci-contre).

qui n'accueillent pas de public. Modeste et discret, Henri Germain aménage son bureau sous les toits.

C'est vers 1900 qu'apparaît le dernier maillon de la chaîne menant du scribe au bureau, tel que nous le connaissons, avec la construction d'immeubles à usage de bureaux. L'élan est donné. Jusqu'au moment où, vers 1995, on cherchera à transformer des bureaux en appartements. Mais c'est là une autre histoire. Pour l'instant, les constructions ont le même aspect que les immeubles d'habitation, seule l'absence de cuisine et de salle de bains les distingue. En 1905, par exemple, les messageries maritimes emménagent 12, boulevard de la Madeleine, dans un immeuble exclusivement réservé à des bureaux.

Progressivement, les espaces de travail vont se rapprocher du modèle de l'usine ou de la manufacture. Pourquoi ? Tout simplement parce qu'on développe de nouvelles techniques de construction. Les charpentes en fer, l'ossature métallique et l'invention de l'ascenseur vont entraîner un changement d'usages et de formes considérables.

William Le Baron Jenney, architecte, construit en 1879, à Chicago, pour le marchand Levi Z. Leiter, le premier immeuble avec des planchers indépendants des murs extérieurs. C'est-à-dire avec des murs non porteurs, appelés par la suite des murs-rideaux. L'immeuble comporte six étages et une ossature en colonnes de fonte, ce qui permet de lui donner une grande surface de fenêtres, insolite jusqu'ici. Désormais, il est possible techniquement de construire des immeubles hauts, grâce aussi au développement très rapide de l'ascenseur, autre « personnage » clé de l'histoire du bureau. L'ascenseur banalise l'espace. Plus d'étage noble, plus d'entresol, plus d'étage de domestiques. Chaque étage est aussi facile d'accès et de même valeur, sauf les étages les plus élevés, et singulièrement le dernier, qui deviennent signe de pouvoir et prennent une dimension symbolique. Un même espace, des fenêtres identiques, un volume similaire, voilà ce qui va caractériser les espaces de bureaux du XXe siècle.

En 1889, le monde entier découvre avec stupeur la tour Eiffel, prouesse technologique de 300 m de haut, qui est l'illustration d'un modèle constructif, la structure vide ou en creux, encore utilisée aujourd'hui pour imaginer les tours japonaises les plus folles. La tour Eiffel sera pendant des années le modèle à dépasser. La France, fière d'elle, se repose sur ses lauriers. Elle a eu la sagesse de concevoir d'emblée un monument, sans se sentir obligée d'y installer des espaces de travail, sauf pour Gustave Eiffel, bien sûr, qui installe son bureau tout en haut !

Le bureau se dessine

Depuis
Frank Lloyd Wright
qui a bouleversé
la conception des lieux
de travail, architectes,
ensembliers et
designers concilient
le beau et l'utile.

Edgar Kaufmann Jr. s'adresse en 1937 à Frank Lloyd Wright pour concevoir son bureau de Pittsburg.
Sur un plan carré, l'architecte conçoit une pièce entièrement tapissée de bois de cyprès. Ce bureau est reconstitué aujourd'hui au Victoria and Albert Museum à Londres.

Sous la plume d'un caricaturiste, « une scène de ronds-de-cuir ». Un homme au travail en 1907. Après la lecture du journal, un petit somme réparateur avant de s'attaquer, tout à l'heure ou peut-être demain, aux dossiers soigneusement empilés (ci-dessus).

Dernier rôle du burlesque Harold Llyod dans *Mad Wednesday*, un film tourné en 1947 par Preston Sturges. Il est comptable dans une agence de publicité. Image de l'employé modèle préposé aux écritures. Avec les fameuses manches de lustrine (à gauche).

Un bureau typique du début du siècle aux États-Unis. Une atmosphère de salle de classe. Ici, pas de regards, pas de signes entre employés. Chacun est devant un bureau très enveloppant, avec des rangements à hauteur des yeux. Il n'y a pas encore de machine à écrire, seulement des papiers, des dossiers et des corbeilles à papiers. Aucun souci de décoration, dans cet univers masculin (page ci-contre).

« Regardez cet employé, lit-on dans le *Journal pour rire* du 22 octobre 1853, il arrive à neuf heures, avant le chef ; il signe la feuille de présence et s'assied à son bureau. Il ne quittera pas son fauteuil de cuir avant quatre heures. Il reste pendant sept heures, le dos courbé, la plume à la main... Demandez-lui le soir ce qu'il a fait, il a écrit une demi-page. Il met huit jours à terminer un état qu'un homme peu au fait des roueries du métier achèverait naïvement en deux heures. »

Le milieu du XIXe siècle se caractérise avant tout par la naissance de ce personnage dont on n'a pas fini de faire des gorges chaudes : l'employé. En France, la fonction publique en emploie près d'un million en 1896. Avec eux, c'est tout un nouvel environnement qui va apparaître. L'historien Théodore Zeldin note que lorsqu'on demanda au gouvernement, en 1848, de publier la liste de tous ces employés, il s'y refusa en s'abritant derrière l'ampleur excessive de la tâche.

Dans son roman *Les Employés* (1838), Balzac a remarquablement décrit leur vie dans un ministère et cet univers qui célèbre la hiérarchie et les différences, qui utilise l'espace, le mobilier et la décoration comme signes de pouvoir et symboles de la place de chacun dans l'organisation. « Ainsi, dit-il, le bureau est la coque de l'employé. Pas d'employé sans bureau, pas de bureau sans employé. [...] Où cesse l'employé ? Question grave ! Un préfet est-il un employé ? » Georges Courteline, dans *Messieurs les ronds-de-cuir*, ajoute, en 1893 : « Lequel des deux, de l'employé ou du bureau, était le fruit naturel de l'autre, sa sécrétion obligée ? Le fait est qu'ils se complétaient mutuellement, qu'ils se faisaient valoir par réciprocité, étant au même titre sordides et misérables. »

À cette création de lieux spécifiques de travail correspond la naissance d'un art de vivre des « employés » au bureau. Une vie quotidienne assez surprenante pour nous. Un monde qui nous paraît complètement fou. Le travail ne semble pas être la préoccupation majeure. Et puisqu'il faut vivre toute la journée dans ces espaces, les employés vont s'y comporter un peu comme chez eux. C'est-à-dire y faire la cuisine, s'y changer, se faire coiffer, raser, écrire des vaudevilles ou des billets doux, etc. L'espace n'est pas vraiment prévu pour accueillir toutes ces occupations. L'aération laisse à désirer, le chauffage aussi. Les chaises sont dures. Cet univers se caractérise par son absence de souci d'efficacité ou de rentabilité, et par la formidable vie parallèle qui s'y déroule, à en croire Balzac.

Dans l'espace de travail du XIXe siècle, le mobilier ressemble à celui d'une salle de classe pour les employés et à celui d'un appartement

SHIPMENTS
SHIPMENTS
SHIPMENTS
Shipping Department
K·C·S
PORT
ARTHUR
ROUTE

Le bureau du directeur d'une succursale bancaire anglaise au début du siècle. Comme éléments de décor, un baromètre et quelques beaux instruments de mesure, une bibliothèque en désordre.

Les bureaux du journal *New York Dramatic Mirror* en 1899. Les acteurs aimaient rendre visite aux journalistes qui leur prêtaient toujours une oreille attentive. Au mur, quelques photographies d'habitués. L'espace restreint facilite la circulation des documents et des informations, indispensable pour boucler à temps cet hebdomadaire diffusé à 2 200 exemplaires (page ci-contre).

Le cinéma nous présente souvent des représentations savoureuses de la vie de bureau. Ici, le désarroi d'un employé devant un travail répétitif et sans intérêt – le collage de centaines de timbres – interprété par l'acteur américain Charley Chase, spécialiste de petits rôles comiques muets (ci-dessous).

bourgeois pour les chefs. La hiérarchie est présente dans chaque meuble, dans chaque détail. L'employé, assis devant son bureau, a peu de possibilités d'échanges, son seul interlocuteur possible étant son voisin immédiat. « Le pêcheur à la ligne est un Dieu près de lui ; le pêcheur à la ligne a une passion, l'employé n'en a pas. Il n'aime pas son bureau, il s'y habitue. Ce n'est plus un homme, c'est une machine », écrit le *Journal pour rire*.

La préoccupation première reste la surveillance. Chacun doit être visible, transparent, attentif à son travail d'écriture. Les employés ont un faible niveau de diplôme et leur principal souci est de bien faire à la plume les pleins et les déliés des lettres, des notes, d'aligner des colonnes de chiffres. Six jours sur sept, un travail répétitif et manuel. Dans *Messieurs les ronds-de-cuir* de Courteline, quelques décennies plus tard, on s'amuse beaucoup moins que dans *Les Employés* de Balzac. Lorsque l'on passe devant un bâtiment administratif, « sans qu'on sache au juste pourquoi, on devine le vide immense de cette caserne, la non-vie des trente ronds-de-cuir noyés en son vaste giron. On pressent le silence sinistre de ces bureaux inoccupés et de ces archives lambrissées : catacombes administratives… où dorment pêle-mêle, sous un même linceul de poussière, des billots de dossiers entassés ».

L'ancêtre de la machine à écrire.
Cet appareil rudimentaire et pourtant assez perfectionné, qui ressemble à un porc-épic, est présenté pour la première fois à l'Exposition de Vienne en 1870.
Détail troublant : cette machine à écrire est inventée par un aveugle : Joseph Labor (ci-contre).

La reine Mary d'Angleterre lors d'une visite officielle à l'Institut des jeunes filles aveugles de Tockenham en 1927.
Les pensionnaires apprennent à taper à la machine grâce à un système en braille. Joseph Labor ne s'était pas trompé en mettant au point une des premières machines à écrire... (ci-dessous).

Un pool de dactylos vers 1900 aux États-Unis. Un monde exclusivement féminin. Le seul horizon : la nuque de sa voisine, le seul interlocuteur : sa machine à écrire. Les dactylographes frappent au « kilomètre » et doivent assurer un certain nombre de lignes à l'heure (page ci-contre).

MACHINE À ÉCRIRE ET STANDARDISATION

Dès le début du XIXe siècle, d'étonnants prototypes, certains en bois, sont présentés lors des expositions universelles. La machine à écrire est inventée en 1868 et industrialisée en 1874 par Remington, un armurier américain. Le succès n'est pas immédiat, les ventes restent longtemps faibles. Et pourtant dès 1878, il est possible d'écrire aussi bien en majuscules qu'en minuscules, grâce à la Remington n° 2. Très vite la machine à caractères séparés et à frappe sur rouleau s'impose. La disposition du clavier (AZERT...) est le fruit d'une étude sur les lettres anglo-saxonnes les plus fréquemment utilisées. Les lettres les plus usitées ne doivent pas se trouver côte à côte, sous peine de s'emmêler sous les doigts d'un(e) dactylographe trop rapide. Le clavier adapté au français (ZHJAY...), proposé en 1901 par A. Navarre, ne réussit pas à s'imposer. La première machine électrique date de 1902.

La machine à écrire est à l'origine de changements formidables. Elle induit une posture spéciale, déterminante plus tard dans la riche histoire du siège de dactylo. Mais surtout, comme l'a fait remarquer l'architecte Le Corbusier, elle introduit la standardisation : avec la machine à écrire, le papier à lettre prend une taille précise (21 x 29,7 cm) qui devient le format commercial. Les enveloppes, les corbeilles à courrier, les chemises en papier, les dossiers en carton, les armoires de rangement, c'est-à-dire tout l'environnement immédiat du bureau est conditionné par l'établissement de cette norme, et les individualistes les plus intransigeants doivent s'y plier.

Olivetti, la célèbre firme italienne de machines de bureau, met sur le marché en 1932 la première machine à écrire portable. Les frères Olivetti, tout de suite, comprennent l'importance de l'image, de l'« emballage ». Ils font appel à des architectes-designers pour donner une ligne à leurs machines. En 1969, la machine à écrire Valentine, dessinée par le designer italien Ettore Sottsass, prend des couleurs, devient rouge avec un design très pop. Elle a un succès considérable. La célèbre machine à boule d'IBM, la S72, apparaîtra en 1961.

Les bureaux de cette époque se ressemblent étrangement. Les meubles sont en bois sombre, il s'agit parfois d'une simple table avec quelques tiroirs hauts ou déjà d'un vrai bureau avec rangements de part et d'autre, et souvent face à soi des casiers de différentes tailles bourrés de papiers. Ils occupent encore, le plus souvent, des appartements transformés.

Michael Thonet fonde en 1819 à Boppard am Rhein un atelier de meubles. Il met au point vers 1830 des procédés pour courber le bois qui assureront le succès de cette fabrique. Très vite, plusieurs usines s'implantent et bientôt 4 000 ouvriers y travailleront. Ici le salon d'exposition de Sholzenberg en 1897 qui fait également office de bureau.

Le bureau à tambour Roll-Top est édité par la société Steelcase fondée en 1912, spécialisée dans le mobilier métallique. Sa forme classique et ses pieds moulurés lui donnent toutes les apparences d'un meuble en bois. Pourtant il est en métal. Sa solidité et sa résistance au feu lui assurent un immense succès dès 1920 (ci-dessous).

Ce qui frappe le plus dans ces premiers espaces de travail collectifs, c'est la disposition des meubles qui donne au bureau un côté scolaire où il ne manque que le tableau noir. Mais curieusement le tableau, devenu blanc, ornera de nombreux bureaux et les salles de réunions nettement plus tard.

Chacun est devant un bureau très enveloppant, protecteur, avec un meuble de rangement intégré face à lui, à hauteur des yeux. Pas de regard, pas de signes entre employés alignés en rang d'oignons. Avec, comme horizon, la nuque de son voisin. Le matériel de bureau se résume à un sous-main, un buvard, un encrier et des plumes. Accompagnés de cahiers, de registres et de papiers. De plus en plus de papier. Inventé en 1890, le papier carbone améliore considérablement la vie quotidienne des employés. La chaise du visiteur, quand il y en a une, est sur le côté du bureau, face au vide. Le siège de l'utilisateur est en bois et pivotant. Les meubles présentent des dizaines de tiroirs aux poignées en laiton, aux étiquettes ornées d'une belle écriture mise en valeur dans des porte-étiquettes, également en laiton. Aucun souci de décoration, pas de plante verte ni d'objets personnels. Parfois, quelques tableaux aux murs, accrochés là, un peu par hasard. Des lampes à suspension noires en métal. Au sol, du parquet ciré et des corbeilles à papier débordantes. L'univers est plutôt masculin.

Après la création de la machine à écrire, de multiples inventions viennent transformer et simplifier la vie de bureau. Elles ne sont pas toutes spectaculaires. Ainsi vous êtes-vous déjà demandé d'où vient le trombone. On le doit au Norvégien Johan Vaaler qui, en 1899, invente ce petit objet tout bête, mais extrêmement ingénieux, fait d'un seul fil métallique, qui rappelle la forme de l'instrument de musique. Entre autres usages, il permet de maintenir ensemble plusieurs feuilles, de calmer le stress et l'agressivité, ou de réaliser des colliers originaux. Durant la Seconde Guerre mondiale, quand la Norvège est occupée par l'Allemagne, le trombone, produit typiquement norvégien, devient un symbole national et se porte, en signe de résistance, au revers du veston. On n'imagine pas assez les multiples résonances affectives et psychologiques du trombone : tel dirigeant considère, en plantant rageusement une agrafe dans un dossier, qu'une règle fondamentale du savoir-vivre bureaucratique est de ne jamais utiliser de trombone. Pour sa secrétaire, en charge des photocopies, c'est l'inverse, utiliser des trombones est un signe discret de courtoisie. Quoi qu'il en soit, les archéologues du quatrième millénaire se pencheront certainement, avec une grande perplexité, sur cet objet si bizarre.

Le pneumatique est installé en 1865. La Banque de France microfilme ses archives en 1875. En 1900, c'est la formidable invention du duplicateur rotatif (dix ans après le papier carbone), suivie en 1904 de l'invention (française) de la sténotypie par Charles Bivoit. L'usage de la sténo pour dicter des lettres a des conséquences importantes dans l'administration. L'essentiel de la journée ne se passe plus à recopier des notes. Les expéditionnaires masculins sont remplacés par des femmes sténodactylographes et des dactylographes. Il s'agit, au départ, de deux métiers différents.

En 1907 Édouard Belin met au point la transmission d'images à distance. Mais le Télex ne se développera qu'à partir de 1930. Ouvert en France en 1946, il est utilisé par une centaine d'abonnés en 1950, 1 000 en 1956, et 135 000 trente ans plus tard.

Steelcase, grand fabricant de bureaux américain, propose, en 1913, un bureau métallique peint de couleur bois. La terreur de l'incendie et l'efficacité du trompe-l'œil lui assurent un immense succès.

Vers 1920, les armoires de classement, le mobilier de rangement prennent possession de l'espace de travail. Les armoires métalliques nous viennent d'Amérique et ont un grand succès car, seules, elles résistent aux incendies. À cette époque, on invente la table-support de machine à écrire, réglable en hauteur. Installée dans un coin, elle est utilisable par plusieurs personnes à tour de rôle, ce qui permet une meilleure rentabilité.

En 1930, le Scotch, commercialisé par 3M, envahit les bureaux ; il est suivi beaucoup plus tard, vers 1985, par les Post-it jaunes, puis quelques années après, de toutes les couleurs. On raconte qu'Art Fry, ingénieur chez 3M, chantait tous les dimanches dans sa paroisse. En 1974, tous les marque-pages de son livre de psaumes tombent par terre. Divinement inspiré, il cherche une formule pour des papiers collants qui puissent se déplacer. Il lui faudra dix ans pour convaincre sa société de l'intérêt de son invention. Une autre version circule : un ingénieur resté anonyme faisait des recherches sur la colle. Il met au point une colle qui, manque de chance, se décolle tout le temps. Mais il y voit aussitôt de multiples possibilités… Quoi qu'il en soit, les Post-it sont présents sur chaque table, dans le monde entier. Ils sont devenus un élément capital de la vie de bureau, un signe de reconnaissance. Pour s'adapter à l'écriture japonaise, ils prennent un format vertical. Mais comment luttait-on contre l'amnésie et la distraction avant leur invention ?

L'invention du Dictaphone, comme celle de la machine à écrire, transformera radicalement la vie quotidienne du bureau. Il fonctionne sur le même principe que le phonographe. Un son fait vibrer une

membrane reliée à une pointe, cette dernière effleure un cylindre qui tourne, trace un sillon et reproduit un rythme. Ici, un des premiers modèles datant de 1926.

Comment ranger Post-it et trombones, stylos et cartes de visite sans encombrer son plan de travail. Ce galet rond en bois d'érable massif, dessiné par Jean-Pierre Vitrac et édité par Edwood, est un nouvel accessoire indispensable.

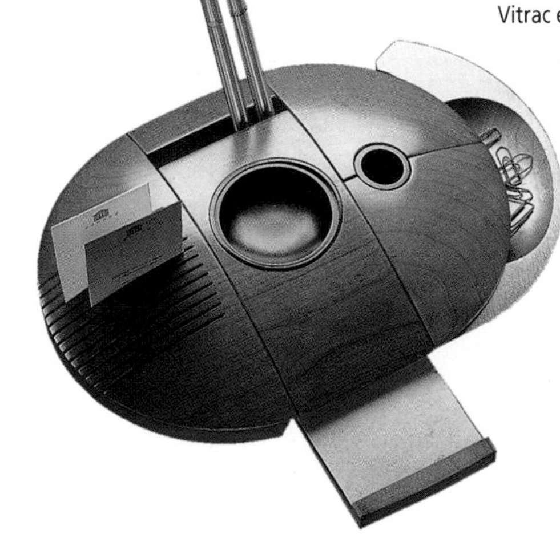

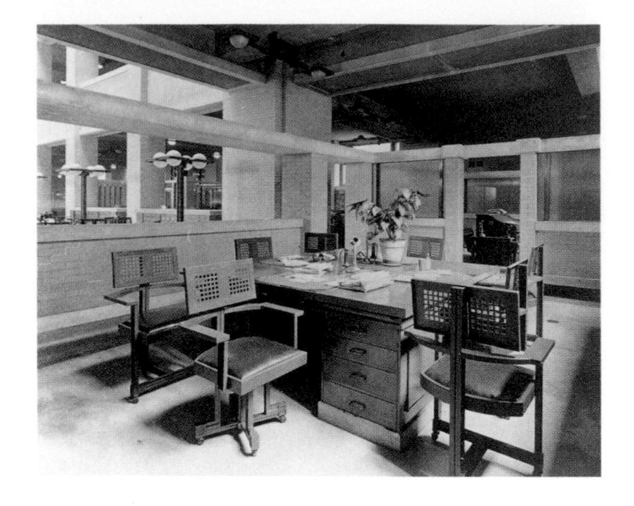

Le premier bureau métallique peint et sa chaise pivotante à roulettes dessinés spécialement pour le Larkin Building en 1904. Dans une autre variante, la table et le siège sont solidaires grâce à un bras articulé. F.L. Wright a toujours décliné son mobilier en plusieurs « systèmes » adaptés aux utilisateurs et à leurs besoins.

Frank Lloyd Wright dans son bureau privé à Taliesin dans le Wisconsin (ci-dessus). Photographié ici en 1956, c'est un homme célèbre. Le maire de Chicago ne vient-il pas d'instituer le 17 octobre « jour de Frank Lloyd Wright » ? Il a beaucoup construit, écrit et travaille à son autobiographie qui paraîtra l'année suivante. Pour son bureau, l'architecte a employé ses matériaux de prédilection, la pierre et le bois (ci-dessous).

UN PRÉCURSEUR : FRANK LLOYD WRIGHT

Un architecte américain de génie va bouleverser la conception des lieux de travail. En 1904, Frank Lloyd Wright (1867-1959) construit un immeuble de bureaux, autour d'un atrium, le Larkin Building à Buffalo. Il y installe l'air climatisé. Surtout, il dessine le premier bureau en métal peint avec un siège pivotant intégré, qui coulisse sur une petite estrade. On peut s'asseoir ou le repousser et travailler debout, comme sur une table d'architecte. La machine à écrire, très haute à l'époque, est intégrée dans la table. Une étagère, face au plan de travail, permet de protéger son intimité et de ranger ses affaires. Trois tiroirs plats sous le plan de travail et trois tiroirs sur le côté complètent l'ensemble. Un panneau cache les pieds et les jambes. Ce type de disposition existe encore aujourd'hui. Pour le même immeuble, il conçoit un fauteuil de bureau à roulettes en métal et cuir d'une très belle ligne. Comme d'autres œuvres de cet architecte, cette construction est détruite sans scrupule en 1949. Néanmoins cette réalisation le rendra célèbre.

En 1936, Johnson, le président de la société américaine Johnson Wax Company, s'apprête à faire construire le siège de son entreprise à Racine dans le Wisconsin. Il a déjà choisi un architecte. Mais, comme dans les contes de fées, Karen, la fille du P-DG arrête son père et lui suggère de demander à ce fameux Frank Lloyd Wright, dont elle a entendu parler, de lui dessiner quelque chose d'extraordinaire. Toujours comme dans les contes de fées, Johnson laisse carte blanche à l'architecte. De cette rencontre va naître un immeuble exceptionnel. « Ce bâtiment est conçu pour donner au travail un élan que la cathédrale apporte au culte », explique-t-il. Et c'est réussi, tout concorde, l'architecture et l'ameublement se répondent, en totale harmonie. Cette recherche de correspondance entre l'extérieur et l'intérieur caractérise toute l'œuvre de F.L.Wright. Mais il est inhabituel qu'un architecte se voie confier la conception du bâtiment en même temps que celle des meubles. Les bureaux de Wright préfigurent « les systèmes » des années 80 (c'est-à-dire une combinaison d'éléments qu'on a la possibilité d'assembler, comme une sorte de puzzle géant au gré des besoins). Dans une immense salle de travail, remarquablement éclairée, plusieurs centaines d'employés sont réunis en groupe. Et pourtant, cela ne ressemble pas à un pool de dactylos. Il n'y a pas cette ambiance scolaire, un peu étriquée. Les bureaux sont éloignés les uns

Vue intérieure du Larkin Building à Buffalo, aujourd'hui démoli. Une architecture ouverte autour d'un atrium largement vitré. Wright aimait à dire qu'il fallait « créer des espaces et non dessiner des façades ». Il en faisait la démonstration à chaque projet. Les employés sont installés par six ou par quatre autour de vastes tables. Les rangements métalliques sont intégrés à l'architecture. Des lampadaires redonnent à ce volume tout en hauteur une échelle humaine.

Frank Lloyd Wright révolutionne les espaces de travail en 1936, à Racine dans le Wisconsin avec le siège de la Johnson Wax Company. Un espace immense et lumineux, une disposition aérée des bureaux autour de piliers en forme de corolles.

Tout est pensé pour le confort de l'utilisateur : le mobilier dessiné par Frank Lloyd Wright est doté de trois plans de travail en bois de noyer, disposés à des hauteurs différentes, les tiroirs sont intégrés et la corbeille suspendue. La structure est en acier laqué rouge. Le siège tout en arrondi reprend les lignes du bureau. Ce bureau est réédité chez Cassina.

La Johnson Wax Company se caractérise par une correspondance subtile entre l'aménagement intérieur et l'architecture. Le « rouge cherokee » du mobilier rappelle la brique utilisée en façade, les formes arrondies se répondent de l'intérieur à l'extérieur. Un bâtiment extraordinaire construit « autour » d'une immense salle de travail qui permet à Frank Lloyd Wright de démontrer qu'il est aussi à l'aise dans l'architecture monumentale que dans l'intimité d'une maison (page ci-contre).

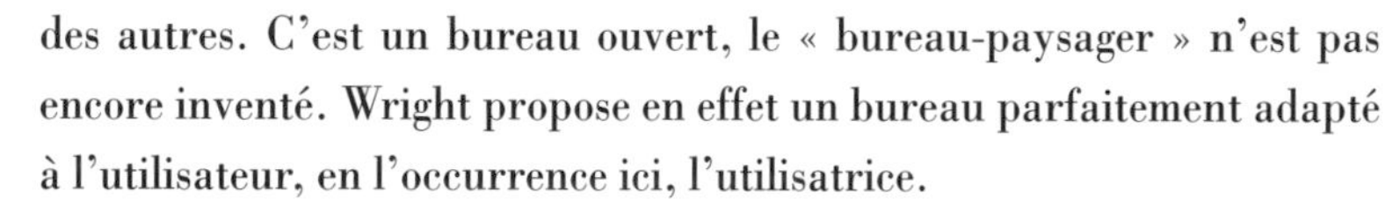

des autres. C'est un bureau ouvert, le « bureau-paysager » n'est pas encore inventé. Wright propose en effet un bureau parfaitement adapté à l'utilisateur, en l'occurrence ici, l'utilisatrice.

Ces meubles, réédités encore aujourd'hui, sont exceptionnels. Leur couleur « rouge cherokee » fait écho à la brique employée à l'extérieur. Leurs formes arrondies rappellent les corolles des piliers et les courbes des luminaires. Wright invente neuf déclinaisons possibles du bureau en fonction des tâches, des situations de travail et des besoins de chacun. La machine à écrire est incorporée au meuble et peut être basculée à l'intérieur de celui-ci, les chariots de classement sont d'un maniement facile, le siège est adapté à la table.

Nous sommes en présence de la première approche globale du concept d'espace de travail. Wright a toujours incarné l'idéal du « beau et de l'utile ». Cette réalisation en est une démonstration éclatante. Aujourd'hui, elle est restée telle que Wright l'avait réalisée. Ce qui est assez rare pour être souligné.

D'une tout autre manière, l'architecte belge Henry Van de Velde (1863-1957) apporte, lui aussi, un regard neuf sur le bureau, en Europe. En 1899, il dessine un merveilleux bureau en forme de haricot, qui très vite symbolisera toute son œuvre. Imposant, vivant, ce meuble aux lignes majestueuses est original par ses détails. Sa forme concave permet de ranger des livres aux extrémités et allège la ligne. C'est un bureau fonctionnel et beau, qui ne triche pas avec sa fonction. Son concepteur explique en 1897 : « En partant du principe que toute forme et tout ornement doivent être sans exception rejetés à partir du moment où ils ne peuvent être fabriqués ou reproduits par des machines modernes, en montrant ce qui constitue l'essentiel de tout meuble ou de tout objet et en veillant constamment à ce que tout objet soit facile à utiliser, nous parviendrons à renouveler complètement l'apparence des choses. »

Ce créateur de meubles extraordinaires, architecte, décorateur, ensemblier, sera imité. Ses idées et son travail auront une influence considérable sur le mouvement du Bauhaus. En effet, dès 1902, il tentera de faire coopérer l'artiste, l'artisan et l'industriel au sein d'un « Séminaire des Arts et Métiers » à l'école d'art et d'architecture de Weimar. Quelques années plus tard, l'école du Bauhaus, la plus célèbre du XXe siècle, s'appuiera sur cette première expérience. Ses cours seront dispensés par une équipe réunissant, elle aussi, des artistes, des architectes, des artisans et des industriels. Walter Gropius est le premier directeur du Bauhaus, en 1919. Au départ très orientée vers l'artisanat, l'école évolue vers le design industriel à partir de son déménagement à Dessau en 1925. Le Bauhaus participera au développement du design, étant le premier à l'enseigner. Certains, comme Marcel Breuer, seront d'abord élèves avant de devenir professeurs. L'école ferme ses portes en 1933.

Artiste engagé, Henry Van de Velde voulait délivrer le monde de la laideur. Mais non pas de façon gratuite car pour lui, chaque détail avait sa raison d'être. Comme pour ce bureau créé en 1898. Fonctionnel, le plateau en chêne naturel est légèrement incliné pour accompagner les gestes de l'utilisateur à la recherche d'un papier ou d'un crayon. Les chandeliers sont intégrés au meuble.

L'école d'art de Glasgow, construite en 1899 par Charles Rennie Mackintosh, architecte et décorateur qui signe là son œuvre majeure. Ici, dans la salle du conseil, les meubles se détachent sur une moquette d'un blanc immaculé et des murs lambrissés. Au plafond, les poutres laquées de blanc réfléchissent la lumière d'un lustre en fer forgé à réflecteurs de cuivre (ci-contre).

Cette pièce sert aujourd'hui de salle d'exposition pour les meubles dessinés par l'architecte. Rigueur des lignes et austérité du chêne noirci pour ce fauteuil directorial simplement décoré par un quadrillage ajouré. On retrouve ici le travail obsessionnel de Mackintosh sur le carré (en bas à droite).

En 1857, Thonet inaugure la production en série de la célèbre chaise n° 14, entièrement démontable, composée de six éléments vissés. Ici, un fauteuil de bureau, en hêtre courbé, teinté façon acajou, créé vers 1866.
1 400 modèles de chaises sont répertoriés dans son catalogue de 1920 (ci-contre, à gauche).

Le bureau de l'industriel Pierre Levasseur, passionné d'aéronautique, est réalisé par le décorateur André Frechet, en 1919 – aujourd'hui exposé au musée des Arts décoratifs à Paris. L'ensemble est en ébène de Macassar d'une belle couleur sombre, souligné d'une frise en marqueterie de cuivre et d'amarante d'un rouge plus vif. Une impression d'ordre, de calme et de distinction.

Erté, l'extravagant créateur de costumes et décorateur, s'est aménagé un atelier-bureau dans son appartement parisien en 1925. Un plafond incurvé avec une frise composée de glands, un sol-damier et des coussins aux motifs géométriques. Le bureau très simple contraste avec ce curieux fauteuil en forme de boîte à huits pieds (ci-dessous).

La lampe de table « Polo-Populär », dessinée en 1931, illustre à merveille les propos de Walter Gropius : « Une chose doit servir parfaitement à son usage, c'est-à-dire assumer pratiquement ses fonctions, durer, être économique et belle. » (ci-dessous).

C'est avec le décorateur anglais Duncan Miller que l'architecte Walter Gropius décore en 1936 le bureau-bibliothèque de la maison qu'il construisit à Sevenoaks, dans le Kent.

D'abord étudiant au Bauhaus en 1920, l'architecte Marcel Breuer prend la direction de l'atelier de menuiserie de l'école en 1925. Il dessine nombre de sièges qui allient le tube de métal, la toile cousue ou le cuir. Le plus connu étant le fauteuil Wassily conçu en 1925 pour son ami le peintre Kandinsky. En pur fonctionnaliste, il privilégie les formes simples et dépouillées pour ses tables ou ses bureaux (ci-dessous). La firme des frères Thonet connue pour ses meubles en bois courbé s'intéresse à son tour à l'acier au début des années 30. Elle rachète en 1929 la société Standard Mobel fondée par Marcel Breuer et Stephan Lengyel. Cette brochure de 1931 présente la gamme dessinée par Marcel Breuer pour le bureau (à droite).

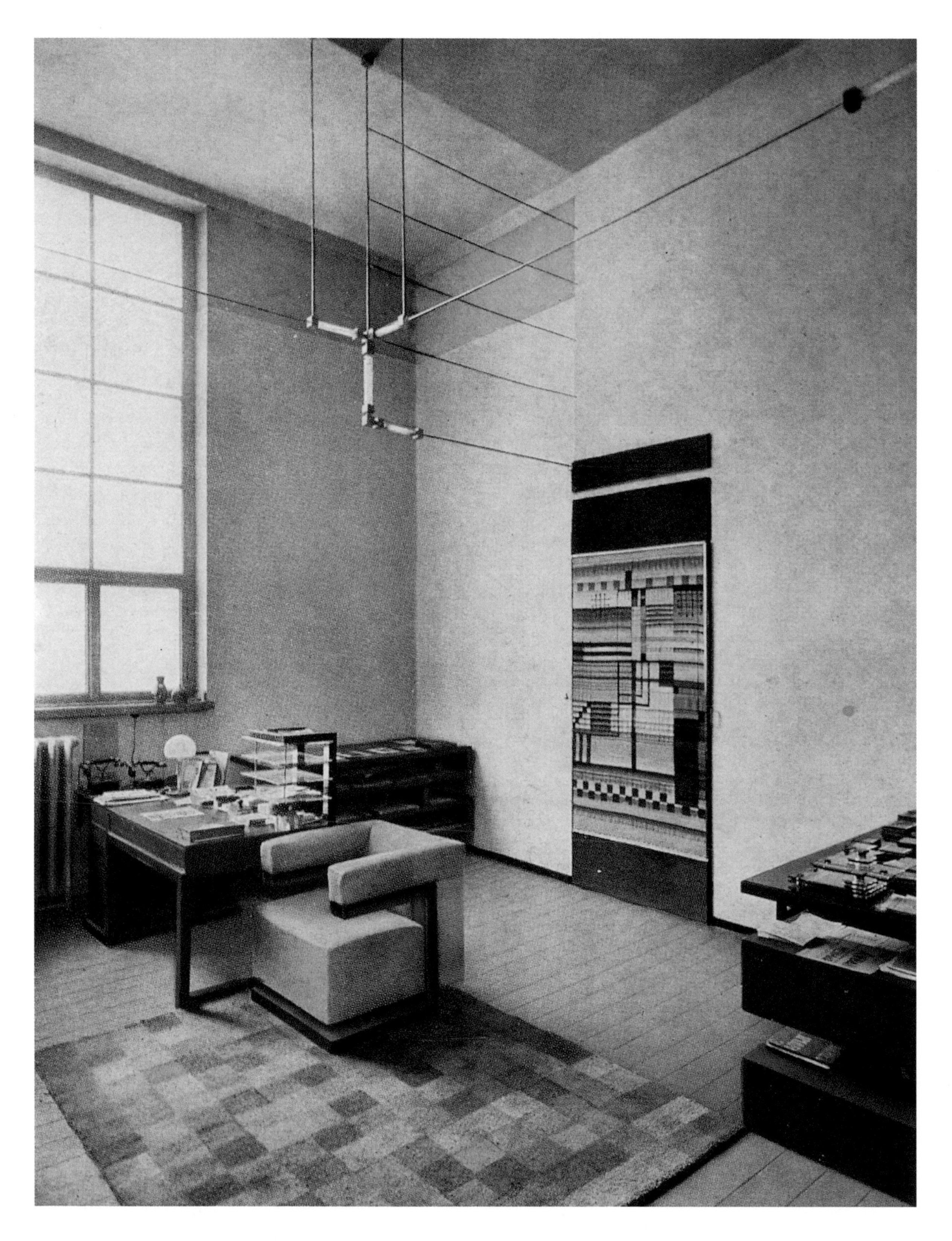

Une lampe de bureau « Valentino » dessinée en 1924 par Karl J. Jucker et Wilhelm Wagenfeld, membres du Bauhaus. L'abat-jour est en opaline blanche, le pied en verre laisse apparente la structure (ci-dessous).

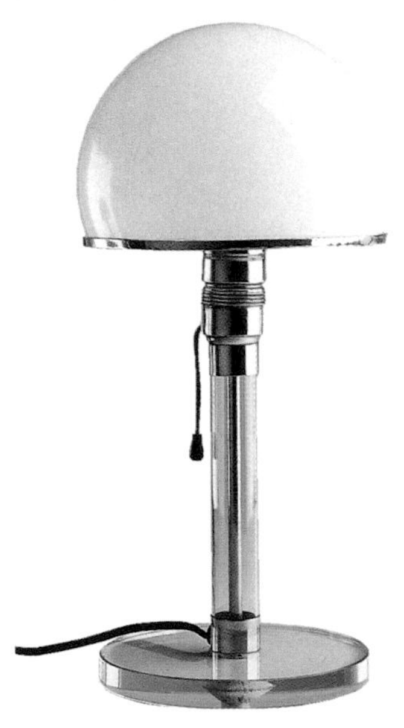

Le bureau du directeur du Bauhaus à Weimar, aménagé en 1923 par Walter Gropius, est la « carte de visite » du Bauhaus. Unir l'art et la technique, éliminer la distinction entre artisan et artiste sont les grands principes de cette école qui ne fonctionna que treize ans. Ici, un volume cubique. Une géométrie rigoureuse du sol au plafond, un dispositif d'éclairage original fait de tubes fluorescents sur une mince armature métallique (ci-contre).

« Chareau, Jourdain et Mallet-Stevens ont collaboré étroitement et sont parvenus à former un ensemble qu'on aura rarement l'occasion de revoir. Chareau a été chargé du bureau-bibliothèque. Nous trouvons enfin une œuvre complète, ordonnée, conçue par l'artiste pour soi-même, c'est-à-dire avec soin et amour », écrit la journaliste Marie Dormoy après sa visite à l'Exposition de 1925. C'est un système savant de piliers et de rayonnages, autour d'une coupole qui s'ouvre ou se ferme comme un éventail avec des lames de bois de palmier (ci-dessous).

Pierre Chareau signe ce bureau en 1926. Le vaste plateau se termine en plans inclinés et intègre astucieusement quatre tiroirs. Lignes sobres et profilées pour ce meuble en acajou et en bubinga d'Afrique, à piétement métallique. Sur le bureau, aujourd'hui réédité en série limitée par MC2, une lampe en métal de Jacques Le Chevalier (page ci-contre, en haut).

Ce bureau en ébène de Macassar présenté à l'Exposition de 1925 illustre à merveille le goût de Chareau pour les formes architecturales et rationnelles. La succession de plans inclinés évite qu'on y entasse livres et papiers et permet « de garder cette netteté et cette rectitude qui sont la caractéristique de la vie moderne », ajoute Marie Dormoy (page ci-contre, en bas).

LA GRANDE ÉPOQUE DE L'ESPRIT ARTS DÉCO

À la suite de Henry Van De Velde, de nombreux architectes et décorateurs vont s'intéresser au mobilier de bureau. Ils sont jeunes, travaillent souvent en équipe et apportent un nouveau regard sur le mobilier et la décoration.

Francis Jourdain (1876-1958), le fils de Frantz, le célèbre architecte de la Samaritaine, est tout à la fois peintre, sculpteur et architecte-ensemblier. Né à Paris, en 1876, il s'oppose farouchement aux idées de l'Art Nouveau. « Je me suis dit qu'une table était essentiellement une planche sur quatre pieds, qu'il fallait d'abord réaliser cela et que le décor venait ensuite, s'il y avait lieu », explique-t-il. Il présente en 1920 un cabinet de travail, qui est très exactement l'ancêtre du bureau avec le coin-réunion arrondi intégré, cher à nos cadres d'aujourd'hui. Le siège confortable a un dossier inclinable. Un socle pivotant met le téléphone à portée de main, dispositif largement repris par la suite.

Pierre Chareau (1883-1950), un architecte français, fait souffler un vent de nouveauté sur le mobilier. En 1931, il conçoit, par exemple, des armoires étonnantes, mobiles et cylindriques, à double ou triple fond, pour la maison de verre du docteur Dalsace, rue Saint-Guillaume à Paris. Son inventivité se retrouve dans ses bureaux. Ils sont très sophistiqués avec des systèmes complexes de caissons de rangement qui ne s'ouvrent que s'ils sont tirés de façon à encadrer l'utilisateur assis. Tout ce mécanisme est destiné à masquer le désordre des tiroirs, à préserver l'intimité de son occupant.

C'est lui qui, le premier, intègre l'éclairage aux cloisons dans un savant jeu d'éventail, ou encore directement au meuble. Inlassablement, il privilégie la ligne au volume et ne s'embarrasse jamais d'ornements. Toujours en avance sur son temps, il utilise le métal pour son mobilier quelques années avant ses confrères. Pour le bureau de son confrère et ami Robert Mallet-Stevens, en 1924, il dessine une tablette pour le téléphone, incorpore une lampe. Il privilégie une ligne très pure et supprime tout rangement, sauf une étagère aérienne sur le côté du plan de travail.

En 1925, pour l'Exposition internationale des arts décoratifs et industriels modernes, ces deux brillants architectes que nous avons déjà rencontrés, Pierre Chareau et Francis Jourdain, touche-à-tout, décorateurs, concepteurs de meubles, ensembliers, s'associent avec un troisième architecte, Robert Mallet-Stevens, pour créer une « Ambassade française ». Ils font sensation, la presse rend largement compte de leur

réalisation collective. Chareau est chargé du bureau-bibliothèque. Il s'affirme comme architecte, plutôt que comme décorateur et conçoit une pièce aux murs recouverts de rayonnages et d'un revêtement de bois de palmier d'un grain serré. Au centre, une coupole « servant de réflecteur à une lampe située au milieu. Grâce à un dispositif ingénieux dissimulé dans un des poteaux, cette coupole ne devant servir que le soir pour refléter l'éclairage artificiel, se clôt dans la journée, avec des lames du même bois de palmier se développant en éventail ».

Le bureau est placé sous la coupole. Il se caractérise par des plans inclinés afin d'éviter « qu'on y entasse des papiers ou des livres ». Dispositif simple, et qu'on a oublié aujourd'hui, pour donner naturellement aux tables de travail un peu d'ordre et de rigueur !

Amateur d'art, le footballer José Touré a réuni dans son bureau parisien objets et meubles signés. Deux fauteuils de Le Corbusier font face à un superbe bureau 1930 demi-lune en placage de noyer. Le téléphone à cadran est posé sur un guéridon-éventail en fer forgé de Pierre Chareau. Un décor Arts déco complété par un lampadaire de Jean Perzel, une lampe « Jumo » en bakélite noire et un tapis dessiné par Eileen Gray. Seule entorse, le meuble contemporain « Solaris » du designer Shiro Kuramata.

Jacques Le Chevalier crée entre 1927 et 1930 une vingtaine de lampes en métal. Ce modèle de bureau, en tôle d'aluminium et ébonite, est original par sa base rainurée qui fait office de porte-crayons. Elle est surmontée d'un simple abat-jour en demi-cylindre (ci-dessous).

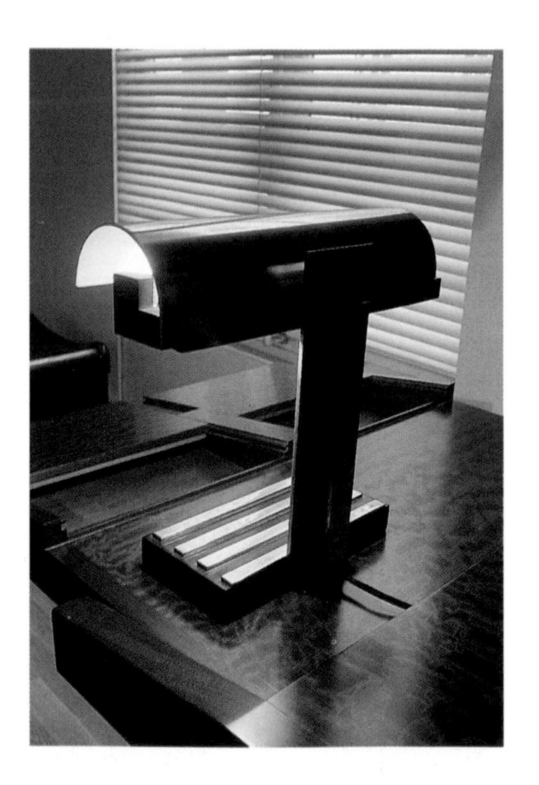

Ici, un petit bureau d'appoint de Mallet-Stevens, des années 20, en acajou recouvert de cuir, destiné à une chambre de dame.

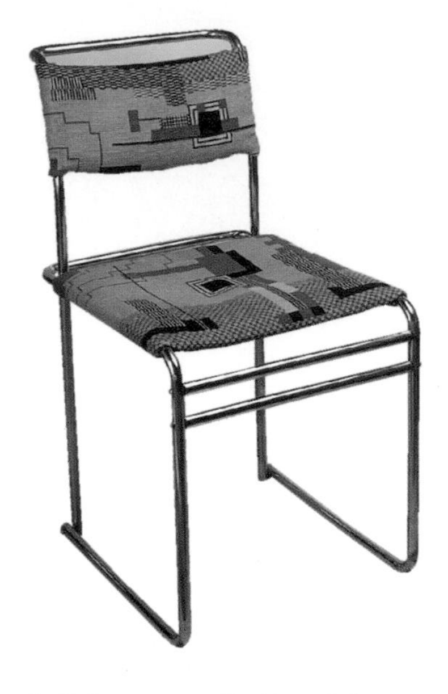

Il n'était pas rare que l'architecte Robert Mallet-Stevens demandât à ses amis de lui dessiner des meubles pour ses propres projets. Cette chaise en tube métallique réalisée en 1924 par Marcel Breuer lui plut tellement qu'il l'adopta chez lui. Madame Mallet-Stevens les recouvrit d'une garniture au petit point (ci-dessus).

Ci-dessous, un siège de 1928 en tube cintré ; l'assise est tendue de cuir. Ces petits fauteuils meublaient le bureau personnel de Robert Mallet-Stevens dans sa maison d'Auteuil.

Les architectes se passionnent pour la conception de meubles. Les nombreux salons et expositions internationales leur permettent de montrer en vraie grandeur, en situation et en ambiance leurs productions. Charlotte Perriand travaille avec les architectes Le Corbusier et Pierre Jeanneret, leur collaboration est totale et ils signent conjointement de nombreux projets. Elle note, à propos de la conception de meubles : « Le problème doit être repensé chaque fois et chaque fois en termes nouveaux. » Il faut répondre aux questions : comment les individus travaillent-ils ? Comment concevoir des bureaux qui répondent à leurs besoins ? Qu'est-ce qui est beau ? Les jeunes architectes se réunissent, échangent, partagent leurs expériences et déploient une énergie considérable pour faire connaître leurs réalisations. Ils créent un grand mouvement autour de l'architecture intérieure. Les revues grand public réagissent. Leur influence est importante. Ils s'opposent à l'école classique et s'interrogent sur l'utilité et la finalité de l'ornement. Certains, comme Chareau ou Jourdain, ouvrent même des boutiques, aujourd'hui, nous les appelons des « showrooms », pour vendre leurs créations. Ils montent également des services de vente par correspondance. En 1929, à l'initiative de l'architecte René Herbst, un groupe de jeunes architectes, dont nous avons déjà rencontré certains membres, fondent l'Union des artistes modernes (Mallet-Stevens, Le Corbusier, Charlotte Perriand, Francis Jourdain, Pierre Chareau, Louis Sognot, Charlotte Alix) avec une devise : « le beau dans l'utile ». Une façon,

Un bureau massif en métal peint et tube nickelé, flanqué de caissons à tiroirs. Un meuble très fonctionnel qui date de 1928. Le porte-plume, le cendrier et le vide-poche sont, cette fois-ci, intégrés au plateau gainé de cuir. Proposition inédite de Mallet-Stevens, qui, par ces petits détails, échappe à l'encombrement quasiment inévitable d'un bureau.

pour cette équipe, de marquer leur indépendance, d'exposer sous leur propre bannière dans les Salons et d'asseoir ainsi leur notoriété.

Le Corbusier, Charlotte Perriand, et Pierre Jeanneret conçoivent en 1930 la célèbre table en tube d'avion et dalle de verre brut avec des fauteuils tournants en cuir. Cette création reste le bureau fétiche de nombreux dirigeants d'aujourd'hui.

Cette même année, c'est aussi le magnifique bureau dessiné par le Français Michel Dufet pour la Compagnie asturienne des Mines. Michel Dufet (1888-1985) est un homme talentueux, architecte-décorateur, peintre, critique et journaliste. Son bureau fait sensation par son côté futuriste. Il est entièrement en zinc, matériau peu mis en œuvre dans le mobilier. Le plan de travail intègre un demi-cylindre plat coulissant qui dégage un plateau formant écritoire. Il est mis en scène au Salon d'automne de 1929, au milieu de deux immenses vasques éclairantes en zinc posées sur des pieds cubiques et de fauteuils tendus de peau de zèbre. Un peu plus tard, il remplacera les tablettes en zinc poli par des disques en bois laqués de rouge. Michel Dufet est une personnalité étonnante : « Nous n'avons qu'une prétention, qu'un désir : exprimer en des objets usuels les mœurs de notre temps. » Ainsi, il se réjouit de l'abandon du port du corset. Cette souplesse de mouvement permet la création d'un nouveau mobilier : siège bas, table basse, etc.

Directeur artistique du grand magasin de meubles « Au Bûcheron », Dufet dispose d'une formidable vitrine d'exposition du mobilier

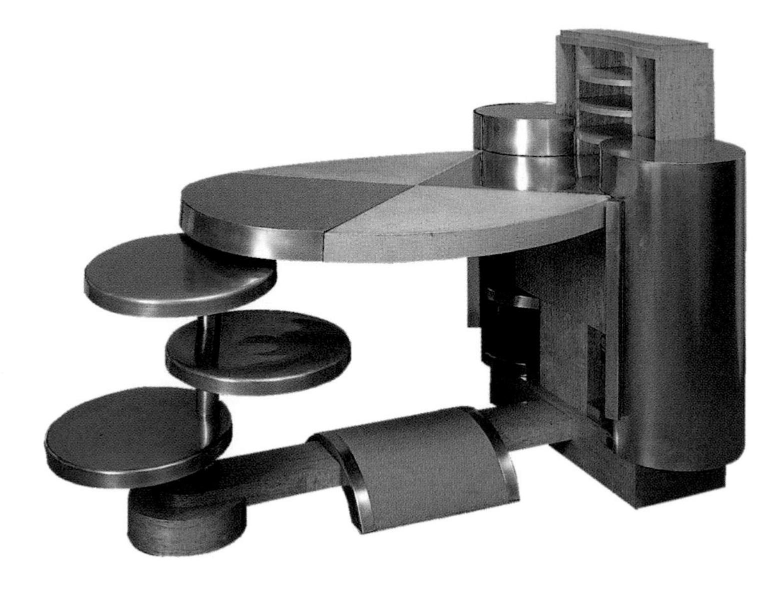

Un bureau qui marie le bois d'érable, le zinc poli et le cuir, conçu par Michel Dufet dans les années 20, sur lequel il travaillera jusqu'à sa mort. D'allure complexe, il se révèle extraordinairement ingénieux et pratique. Rien n'est laissé au hasard : des classeurs à portée de main, un repose-pieds et de multiples étagères tournantes (ci-dessus).

Une autre création de Michel Dufet éditée par la firme « Au Bûcheron » en 1930. Composition asymétrique et insolite de matériaux, métal, bois de palmier, loupe de frêne et peau de python pour ce petit bureau. On retrouve, ici, son souci constant du confort et du rangement (ci-dessus).

Michel Dufet conçoit en 1929 cet étonnant bureau en zinc poli, commandé par la Compagnie asturienne des Mines pour promouvoir ce matériau peu employé. Ce meuble inhabituel fait sensation au Salon d'automne. Le demi-cylindre coulisse et dégage un plateau pour écrire. Jules Romain, séduit par ce bureau, le met en scène dans sa pièce *Donogoo-Tonka*, au théâtre Pigalle en septembre 1930.

Ambiance blanche pour le bureau
du commissaire-priseur Viviane Jutheau.
Calme et sérénité pour la pièce de travail
de cette spécialiste des tabatières chinoises
et du mobilier de la famille Leleu.
Son propre bureau recouvert de galuchat
est signé Jules Leleu et date de 1936.
Au mur, un tableau de Keith Haring.
Un petit bureau attribué à Albert Guénot
et une chaise de Louis Sognot. On disait
de ce dernier : « Il conçoit en logicien,
il réalise en poète » (ci-dessous).

Chez l'antiquaire Thierry Couvrat-Desvergnes, un bureau demi-lune
en parchemin et pin d'Orégon dont
le plateau est incrusté de casiers
gainés de cuir. Extrême simplicité
et raffinement des matériaux pour
ce meuble signé Paul Dupré-Lafon,
artiste décorateur qui a souvent collaboré
avec la maison Hermès (page ci-contre).

Le bureau de réception et de travail du propriétaire de *La Tribune des Nations* conçu entièrement par Michel Dufet en 1937. Il signa le mobilier ainsi que les décors peints. Une immense carte du monde en toile de fond. Coiffé d'une mappemonde, le meuble-bureau en « L » et les chaises qui sont aujourd'hui rééditées par Ecart International.

Ce bureau plat à pieds cannelés en ébène de Macassar, signé J.E. Ruhlmann, est présenté au Salon des artistes décorateurs en 1926. Un meuble sobre et fonctionnel. Depuis l'Exposition des arts décoratifs de 1925 où il décore le fameux hôtel du Collectionneur, Ruhlmann domine toute la période Arts déco (ci-contre).

Ébéniste formé dans l'atelier paternel du faubourg Saint-Antoine à Paris, Eugène Printz a toujours donné la priorité au bois sans rejeter totalement le décor et son goût pour le luxe. Ici, un étonnant bureau en laque rouge sur un piétement en bronze doré aux circonvolutions compliquées de 1943. Fruit d'un travail collectif avec le laqueur Jacques Dunand et le ferronier Raymond Subes.

contemporain. Et aussi de peinture moderne (avec Vlaminck, Utrillo, Van Dongen, etc.) car un atelier d'art, « le Sylve », est intégré au magasin. En 1930, il présente également au Salon d'automne un studio d'homme original avec un bureau au plateau ovale, gainé de cuir et de métal, flanqué de meubles de rangement ovales d'un côté et de trois disques fixés sur un axe vertical de l'autre côté formant ainsi des tablettes. À l'exposition coloniale de 1931, il conçoit pour le maréchal Lyautey un bureau en loupe d'orme qui repose « sur deux corps-tambours à vantail galbé et niches de rangement. L'épais plateau gainé de maroquin rouge est supporté par quatre boulets d'acier poli ». Le maréchal détestera ce meuble parce qu'il s'est blessé au genou en heurtant une porte mal fermée ! Ce bureau, une pièce unique, a malheureusement disparu aujourd'hui.

Dans un tout autre style, l'artiste décorateur d'origine alsacienne Jacques-Émile Ruhlmann (1879-1933) personnifie les « années 25 ». Sa carrière est étonnante. Il commence à travailler dans l'entreprise familiale parisienne de peinture, papiers peints, miroirs et luminaires. Mais très vite il crée des meubles extraordinaires en bois, véritables chefs-d'œuvre d'ébénisterie. Ses bureaux aux formes élégantes en ébène de Macassar auront un succès fou. Il présente au Salon des artistes décorateurs de 1929 « l'appartement d'un prince héritier » qui comporte un grand bureau semi-circulaire en laque noire ; le téléphone est dissimulé sous le bureau, la lampe est intégrée.

René Herbst, né à Paris en 1891, est un architecte qui ne construit pratiquement pas. C'est un militant de la modernité. Ses premiers bureaux sont en bois, associés à une bibliothèque solidaire, de formes massives. Côté travail, ils offrent des tiroirs, côté visiteur, des étagères pour recevoir des objets ou des livres. En 1929, également, il présente le bureau de l'ingénieur en tôle recourbée. Pour lui, deux fonctions sont indissociables, le travail et le rangement de dossiers et de livres.

Un bureau doit être pratique et confortable. Comme Pierre Chareau, il se passionne pour la création de luminaires.

Si les architectes s'intéressent à l'usage (rangements étudiés, utilisation du téléphone, par exemple), ils se cantonnent volontiers aux bureaux classiques et n'étudient pas ou peu, à quelques exceptions près, le travail devant la machine à écrire ou à facturer. L'ergonomie ne les passionne pas encore. Sauf en 1931, avec l'invention d'un siège roulant sur un rail qui permet à l'utilisatrice de calculer et d'écrire en se déplacant avec facilité, sans se lever, les deux machines étant côte à côte. Invention étonnante et pratique. Mais la prise en compte de la flexibilité et du mouvement se fera nettement plus tard, lorsque les idées de l'ingénieur et économiste américain Frederick Taylor sur l'organisation scientifique du travail quitteront les manufactures et les ateliers pour envahir le bureau. Le mobilier sera alors analysé, disséqué, pour s'adapter à l'homme, ou le plus souvent à la femme-tapant-à-la-machine. Mais il n'y aura encore aucun souci de l'environnement du travail : juste la préoccupation d'adapter l'homme à la machine ou la machine à l'homme.

Exemple de rationalisation du travail au bureau en 1931 : un système ingénieux de sièges montés sur rail. À noter le plan incliné métallique pour poser les documents, et les nombreux rangements à portée de main.

Dans une pièce tout en arrondi, tapissée de lambris en ronce de noyer, trône un imposant bureau demi-lune en ébène de Macassar, entouré de fauteuils recouverts de veau rouge. Ambiance feutrée pour ce bureau de réception conçu par Jacques-Émile Ruhlmann, qui affectionnait les matériaux précieux, les placages d'amarante, d'amboine ou d'acajou incrusté d'ivoire ou d'écaille (ci-contre).

Fils et petit-fils d'ébéniste, André Arbus est un artiste décorateur réputé pour son mobilier de prestige. En 1945, le Mobilier national lui commande un bureau destiné au général Harriman, en bois peint ivoire décoré de bronzes dorés. Ici, une variante à huit pieds reliés par des entretoises en acajou (ci-dessus).

Ingénieur et licencié en droit, Jean Pascaud s'oriente en 1925 vers les arts appliqués. Pour lui, le décorateur doit appliquer son savoir, sa sensibilité à la création de meubles de haute qualité, d'un dessin très étudié. Ici, un bureau d'homme dessiné en 1940 en sycomore et dessus cuir. Une cariatide de bronze décore chaque angle.

Une pièce unique : un bureau du décorateur Marc du Plantier dessiné en 1938. Entièrement gainé de parchemin, la table cerclée de bronze repose sur de simples pieds-fuseaux. Dans le pur style des années 40 (ci-dessous).

Lampe en acier chromé et verre opalin bleuté. Détail ingénieux, un verre dépoli s'abaisse pour tamiser la lumière (ci-contre).

Projet de décoration pour un bureau dessiné par André Arbus. « Il faut être assis devant ce bureau, avoir ressenti la grâce accueillante avec laquelle il s'avance, met à votre portée les casiers et les objets utiles, non pas avec cette sèche et stricte économie des meubles américains. »
Des lignes pures et un décor discret à l'image du travail d'Arbus (ci-dessus).

À partir des années 50, le siège de bureau devient objet d'études. Les recherches sur le moulage des plastiques et du contreplaqué stimulent concepteurs et fabricants. Les formes s'assouplissent, siège et dossier ne font plus qu'un. Ici, un fauteuil de bureau à coque de plastique, dessiné par Charles Pollock en 1965 et édité par la firme américaine Knoll.

Un siège qui trouve sa place partout, au bureau, comme à la maison. « L'espace les traverse. Et si on les regarde bien, on remarquera qu'elles sont surtout faites d'air comme une sculpture », explique Harry Bertoia, le designer de cette chaise grillagée indémodable, éditée par Knoll en 1962 (ci-dessous).

Reconstitution du bureau du designer industriel Raymond Loewy, auteur du célèbre *La laideur se vend mal*, lors d'une exposition en 1934, au Métropolitan Museum of Art de New York. Il l'a dessiné en collaboration avec Lee Simpson. Des lignes simples et aérodynamiques pour un bureau « clinique » blanc et métal (page ci-contre).

L'ENTRÉE DANS LA DANSE DES DESIGNERS

À partir des années 50, une autre profession se penche sur le bureau : les designers. Leurs préoccupations rejoignent celles des architectes. Ils ont la volonté de faire quelque chose de beau et d'adapté et s'intéressent aux meubles, bien sûr, mais aussi aux objets usuels pour la maison comme pour le bureau. Le mot anglais « design » signifie à la fois conception et mise en forme. Pour le designer français Sylvain Dubuisson, dans une contribution au livre *Design, miroir du siècle*, le design apporte du sens à ce qui en a peu. Mais il est clair que le design fait signe, avant de faire sens.

Les métamorphoses d'un duplicateur signent la naissance du design. Jusqu'à présent, on n'accorde pas un regard à l'esthétique ou même à l'aspect pratique des machines de bureau. Elles sont le fruit du hasard et de la nécessité. À partir de 1929, la crise et la concurrence rude ébranlent les idées reçues. L'Américain Raymond Loewy, l'auteur du fameux *La laideur se vend mal*, est un des premiers designers. Il travaille sur l'esthétique du duplicateur de la firme Gestetner. Il cache la quincaillerie par un carénage, il « rhabille » le duplicateur et, au passage, améliore ou plutôt simplifie la fabrication et l'usage. C'est un succès foudroyant.

L'évolution de ce modeste objet qu'est le siège de bureau – sur lequel nous restons assis plus de 1 700 heures chaque année – est, elle aussi, significative.

Les machines à dactylographier entraînent la création de chaises de dactylo, pivotantes, réglables en hauteur, posées sur trois pieds, en bois ou en métal, mais dures. Puis, avec le développement de la machine à écrire, des chaises spéciales apparaissent. Les Britanniques, juste après la guerre, essayent d'en améliorer le confort.

Très vite l'ergonomie trouve dans le siège son terrain de prédilection et ses lettres de noblesse. Curieusement, seule la chaise de la dactylo ou le fauteuil de direction sont dignes d'intérêt. On les distingue l'un de l'autre assez facilement. Entre les années 30 et les années 60, on prend conscience des ravages occasionnés sur telle ou telle lombaire, par une chaise inadaptée.

Depuis l'entre-deux-guerres, le siège est le plus souvent en métal (au moins le piétement) et ressemble de moins en moins à une chaise de classe ou de cuisine. Il se rembourre dans les années 60, s'équipe de roulettes et s'octroie cinq pieds dans les années 70.

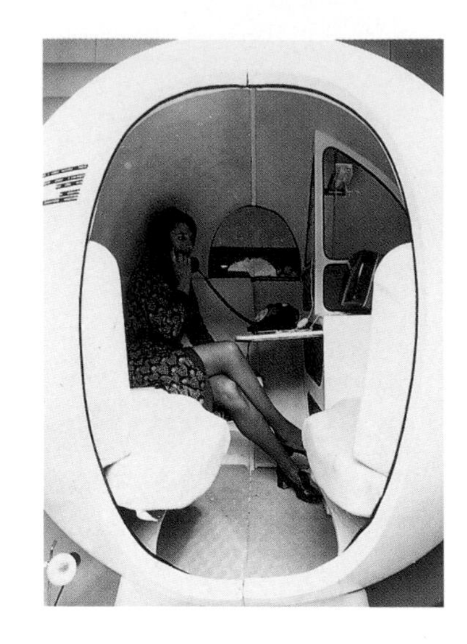

Vision futuriste des années 70.
Tout confort, une bulle en plastique blanc, démontable et étanche, à placer sur un chantier ou dans un jardin.
À l'intérieur, pas de poste de pilotage ni d'appareils électroniques. Juste un téléphone, une télévision et trois sièges.

Un étonnant bureau-coquille, dessiné par le sculpteur Maurice Calka en 1969 pour la maison Leleu qui expérimente là un matériau inédit. En fibre de verre laqué blanc, le bureau et le siège « de pilote » forment un tout.

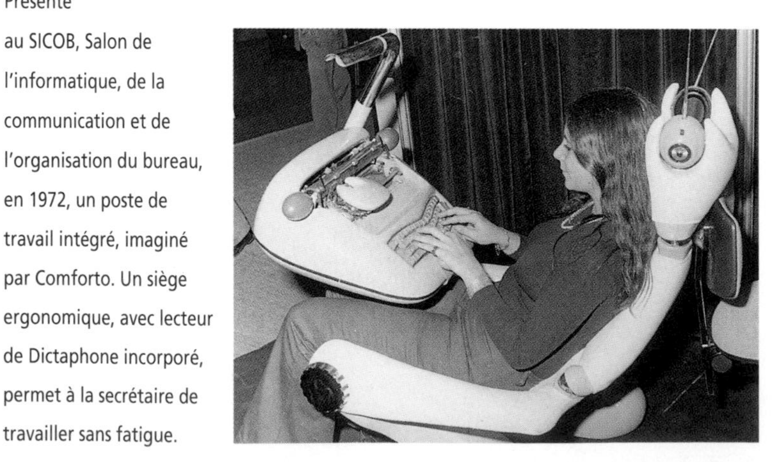

Présenté au SICOB, Salon de l'informatique, de la communication et de l'organisation du bureau, en 1972, un poste de travail intégré, imaginé par Comforto. Un siège ergonomique, avec lecteur de Dictaphone incorporé, permet à la secrétaire de travailler sans fatigue.

Au début, le dessin des chaises se rapproche le plus possible de la morphologie, mais on s'aperçoit très vite qu'il n'y a pas une seule façon de s'asseoir valable pour huit heures, mais de multiples postures. Aujourd'hui les sièges, devenus flexibles, s'adaptent au mouvement du corps. L'assise et le dossier accompagnent les mouvements de l'utilisateur : le siège se bloque dans la position de travail choisie et se débloque dès que la pression du dos ou du corps s'interrompt. « Un galbe de l'assise trop prononcé augmente la pression au niveau des muscles fessiers et s'oppose au changement de position », nous précise un manuel d'ergonomie.

Dorénavant, on travaille sur des sièges qui ressemblent à des sièges d'avion ou de voiture de course, sans la ceinture de sécurité. La chaise ou le fauteuil restent encore, dans bon nombre d'entreprises, un signe de la place occupée dans la hiérarchie. En cuir noir, c'est chic, pour un directeur, en tissu bleu des mers du Sud, ou rouge baiser, c'est plus gai, pour une secrétaire.

Une petite révolution dans les espaces de bureau se produit en 1946. G. Nelson, un designer américain, invente un must, le bureau en forme de « L » incorporant le « retour dactylo ». C'est un changement décisif, copié dans le monde entier. C'est encore G. Nelson qui, en 1947, invente les premiers meubles cloisons, qui joueront un grand rôle dans l'aménagement, quelques années plus tard, des bureaux paysagers. Ils permettent une grande liberté.

Pour la première fois, on commence à s'intéresser à l'espace personnel de travail, à l'environnement immédiat du « travailleur », avec toutes sortes de fonctions à portée de main. Charlotte Perriand, en 1955, imagine un bureau semi-circulaire, le bureau « haricot ». Toutes ces recherches signent l'acte de naissance des « systèmes », que Wright avait déjà expérimentés en 1939, pour la Johnson Wax Compagnie.

Une grande exposition a lieu à Chicago en 1950 : « Les bureaux de demain ». Premier salon sur le bureau, ancêtre du SICOB (le Salon international de l'informatique, de la communication et de l'organisation du bureau qui se tient chaque année à Paris), 33 100 visiteurs s'y rendent, admirent des bureaux en bois (le métal manque après la guerre) et rêvent devant le bureau de demain présenté avec le slogan « Travailler devient un rêve »! Le dernier cri de la technologie est bien là, avec dans les tiroirs un appareil radio, un Dictaphone, une règle mécanique. Le siège est réglable.

En 1964, le concepteur R. Propst, le dessinateur G. Nelson et l'éditeur H. Miller présentent en équipe le premier « Action Office », fruit d'une recherche pluridisciplinaire. Le bureau n'est plus un objet, un meuble mais un ensemble, un espace, un lieu de vie et de relations. Il devient un objet de recherches et d'études pour des architectes d'intérieur et des designers comme Sylvain Dubuisson, Andrée Putman, Isabelle Hebey, Jean-Michel Wilmotte, Philippe Starck, pour ne citer que les plus connus, et avec l'appui de l'État qui s'investit et organise des commandes et des concours de création contemporaine.

La revue *Créé* consacrée au design voit le jour en 1969, comme le Centre de création industrielle (CCI). En 1970, les designers Agam et Pierre Paulin aménagent les appartements de l'Élysée.

Andrée Putman, journaliste, puis styliste, et enfin architecte d'intérieur, crée en 1978, à Paris, « Écart International » qui réédite les anciens, Le Corbusier, Eileen Gray, Rietveld, Mallet-Stevens, Herbst ou Hoffmann, à un moment où personne n'y pense, et fait connaître aussi les créations du jour. Elle dessinera, entre autres, en 1982, un étonnant bureau-écritoire-bibliothèque en stratifié sépia et métal gris époxy pour le couturier Karl Lagerfeld, fruit d'un dialogue de qualité entre l'utilisateur et la conceptrice.

L'année suivante Jean-Claude Maugirard crée le VIA, comité pour la valorisation de l'innovation dans l'ameublement, qui aura un rôle fondamental pour la création et la diffusion. Ambassadeur de la création française, le VIA soutient et encourage de jeunes talents, les aide à éditer leurs œuvres et à les faire connaître à l'étranger, mais aussi en France, en participant à de nombreuses manifestations.

Enfin, les désigners, comme M. Held, R.C. Sportes, P. Starck, l'enfant surdoué, A. Tribel et J.M. Wilmotte, se font connaître du grand public, lors des commandes pour l'Élysée en 1983 et lors des concours organisés par le ministère de la Culture en 1982 pour le mobilier de bureau, puis en 1984 pour les luminaires de bureau. Cette année-là le lauréat est Sylvain Dubuisson.

Pierre Sala édite, en 1983, son célèbre bureau « Clairefontaine » en forme de cahier à spirale – on écrit sur les feuilles – juché sur quatre crayons bien taillés.

En Italie, le groupe Memphis, créé à Milan en 1981 par le designer Ettore Sottsass et l'industriel Ernesto Gismondi, s'interroge. Pourquoi une table aurait-elle quatre pieds identiques ? Pourquoi les étagères d'une bibliothèque seraient-elles droites ? Leur production est foisonnante, utilise des matières plastiques, des couleurs et des formes qui font référence, dans un savant désordre, aux totems, à l'Égypte ancienne ou à Elvis Presley.

Rolf Fehlbaum, P-DG de Vitra, confie à Franck Gehry, en 1989, la conception du Vitra-Design Museum à Weil am Rhein en Allemagne. Ce musée accueille une vaste collection rassemblant plus de 1 600 objets de designers. Ici, une salle consacrée au mobilier ludique et coloré de l'Italien Ettore Sottsass.

Bureau en contre-plaqué moulé recouvert d'un plateau de verre signé Carlo Mollino en 1950. À une époque où l'on découvre le plastique, son matériau favori reste le bois massif cintré. Les piétements de ses tables sont directement inspirés des ailes cintrées des premiers avions, témoignant de sa passion pour l'aéronautique.

La fameuse lampe « Pipistrella » – chauve-souris –, dessinée en 1963 par Gae Aulenti, est en acier Inox et plastique moulé. Toujours distribuée aujourd'hui, elle est éditée par Martinelli.

Un bureau-rognon en bouleau dessiné par Jasper Morrisson et édité par Néotù. « Je n'ai jamais conçu la décoration comme autre chose que la recherche d'un dépouillement. » Ce designer anglais, dans la mouvance minimaliste, allie la simplicité de construction aux matériaux raffinés.

L'agence de Jean-Michel Wilmotte est logée dans un vieil immeuble reconverti. Le cloisonnement transparent laisse pénétrer la lumière naturelle dans les circulations, tout en préservant l'intimité du bureau directorial. Un espace dépouillé juste coloré d'une toile de Claude Viallat (ci-contre).

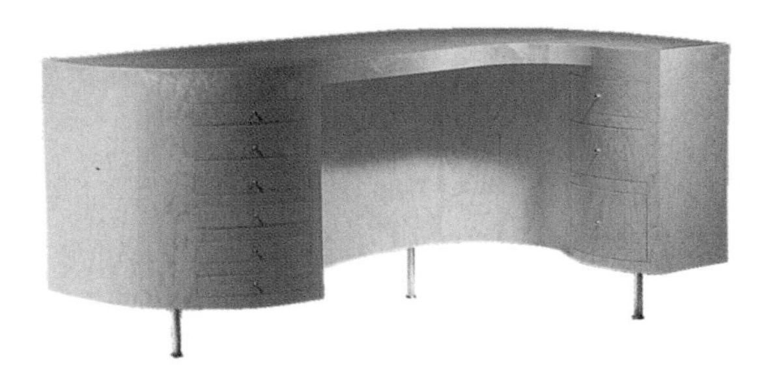

Humour et fantaisie. La célèbre table rayée comme un zèbre dessinée par le designer italien Gio Ponti pour le bureau du directeur de la compagnie Ferrania à Rome en 1937. Le mur rayé derrière assorti au bureau est une des inventions les plus extraordinaires de cet architecte, fondateur du journal *Domus* (ci-contre).

Le théoricien de l'architecture Charles Jencks a aménagé sa « maison thématique » en 1980. Un décor postmoderne qui prend place dans une bâtisse du XIXe siècle, organisé autour d'un grand escalier central en spirale. Ici, la bibliothèque. Sur le bureau, des obélisques et des pyramides en agate et onyx que Charles Jencks collectionne et incorpore souvent dans ses créations de meubles (page ci-contre).

Les designers Antonio Citterio et Glen Oliver Löw signent en 1995 le programme « Ad-Hoc » pour Vitra. Un nouveau concept de bureaux avec éclairage intégré et panneaux de couleur perforés. Ici, la flexibilité n'est pas un vain mot. La structure des éléments peut être modifiée très facilement grâce à un système astucieux de panneaux réversibles (ci-dessus).

Les bureaux de Classic FM à Londres conçus par l'architecte Stanton Williams en 1993. Une composition de coloris clairs souligne le jeu de volumes et de niveaux. Un mobilier sagement aligné dans une ambiance lumineuse (ci-dessous).

LE BUREAU D'AUJOURD'HUI

ENIAC, le premier calculateur électronique, est mis en service en 1946. Jusqu'en 1970, les calculateurs traitent de nombres, puis intègrent des chaînes de caractères, c'est-à-dire des lettres. Reproduisant l'histoire de la naissance de l'écriture, ils passent des nombres à l'écriture puis à l'information. Les premiers ordinateurs occupent d'immenses armoires. En 1970, l'intégration des composants électroniques permet la miniaturisation et engendre l'ère des « mini-ordinateurs », c'est une véritable révolution. Ils ne sont pas encore dans le bureau, mais dans des salles spécifiques, et ne font pas encore l'objet d'une recherche esthétique. Les prix ayant baissé, de nombreuses entreprises de petite taille peuvent enfin s'équiper. Les besoins en gestion sont très importants.

Puis en 1980, Macintosh lance le « micro ». Il n'est pas conçu au départ pour le bureau, mais vise une clientèle de fanatiques de la programmation. C'est l'invention du tableur, un logiciel extraordinaire, suivie de celle du traitement de texte qui donnent au micro sa place sur le coin du bureau. Suit un certain souci de la forme et de l'utilisation. Pas plus encombrant qu'une machine à écrire et maintenant portable, le micro ne doit pas, pour autant, ressembler à une machine à écrire. Les hommes se mettent à taper sans avoir l'impression de prendre la place de leur secrétaire, grâce à la souris. Cette dernière est révolutionnaire. On quitte le système binaire pour un échange humain et ludique avec la machine grâce à des icônes et des symboles. Puis le micro s'installe en réseau. L'évolution ne s'arrête pas là et les années 90 se préparent à la diffusion globale multimédia et tracent la voie des autoroutes de l'information. L'informatique en se miniaturisant et en se complexifiant est venue bouleverser le travail.

Les bureaux occupent dorénavant des immeubles spécifiques. Ce qui frappe le plus, c'est la disposition des pièces. Des centaines de petites boîtes le long d'un couloir. Chacun est assis devant son bureau en bois avec des tiroirs de part et d'autre. Le plan de travail est parfois en stratifié blanc. La table forme un « L » avec une desserte, à gauche ou à droite, supportant le téléphone et le Minitel. Une plante verte et un micro-ordinateur se disputent le coin du bureau. Le siège du visiteur est face à la table. Dans un coin un portemanteau, une ou deux armoires en stratifié imitant le bois. Au mur, une reproduction encadrée représentant un bouquet de fleurs ou un tableau de Monet. Peu de signes personnels, si ce n'est une photo de famille dans son sous-verre sur le bureau et quelques cartes de vœux punaisées entre la porte et l'armoire. Les murs sont gris clair, au sol, un tapis aiguilleté gris souris. Une bouteille d'eau minérale orne le rebord de la fenêtre.

Le bureau ouvert est une autre variante courante. Dans une grande pièce, de nombreux postes de travail sont installés. L'impression de densité est accentuée par des cloisons à mi-hauteur qui isolent les individus visuellement et phoniquement. Beaucoup de meubles de rangement, de dossiers entassés partout, de matériel de bureau gris clair. Tout est à portée de main, tout est flexible. Demain la configuration sera peut-être différente, car l'aménagement est démontable facilement. Pas ou peu de décoration. Du noir, du gris avec les micro-ordinateurs et des taches de bois clair avec les plans de travail. Quelques plantes vertes çà et là.

Sur les photos, l'univers de travail se vide de toute présence humaine. À la place, de vastes étendues désertes, aux corbeilles à papiers vides, sans dossiers sur les tables. Une ambiance un peu froide qui évoque plus les catalogues de fabricants de bureaux que l'instantané d'un lieu où l'on passe huit heures par jour. Et pourtant, le bureau est bien plus que ce qu'il donne à voir.

Borek Sipek, designer d'origine tchèque, avoue : « J'essaie toujours de trouver et de glisser un peu d'anarchie dans le projet. Pourquoi couper le bois en ligne droite, lorsque le laser permet une coupe libre ? » Ici, un bureau en contre-plaqué d'alisier et métal laqué édité par Vitra en 1992. Des lignes baroques à l'antithèse d'un bureau classique.

MANHATTAN
MANHATTAN

L'expression de la hiérarchie

Des bureaux
de patrons destinés
à impressionner
visiteurs et employés
aux vastes bureaux
collectifs fonctionnels,
la hiérarchie est
soigneusement
codifiée.

Un banquier à New York photographié par Henri Cartier Bresson dans les années 50. Un face-à-face étrange entre un patron affairé et une secrétaire plongée dans l'ennui, son bloc de sténo sur les genoux. Un espace de travail figé (page précédente).

Le hall du siège social d'Auguste Thouard Immobilier à Levallois-Perret, aménagé par l'architecte Tessa de Saint Blanca. Fait rare, qui mérite d'être souligné, les deux dirigeants de cette société partagent le même bureau. Dans un hall habillé de couleurs chaudes, les murs sont tendus de soie chinoise et les colonnes enduites de stucs vénitiens. Les stores américains en bois adoucissent la lumière de cet espace totalement vitré en façade (ci-dessus et ci-contre).

L'agence de communication Chiat Day dans ses bureaux de Venice en Californie. Un intelligent compromis entre un espace paysager et des bureaux privés. Les espaces de travail entièrement blancs s'opposent aux circulations ouvertes habillées de bois. Intimité et communication font ici bon ménage (page ci-contre).

Héritier des appartements bourgeois et des manufactures, le bureau est bien plus que ce qu'il en a l'air et la hiérarchie s'y exprime toujours sous des formes subtiles.

Pour de nombreux chercheurs, la société se caractérise par une longue tradition de rapports hiérarchiques. Le seigneur et les paysans, le seigneur (qui représente le pouvoir) et le clerc (qui représente le savoir), le bourgeois et le domestique, le contremaître et l'ouvrier, etc. Leurs relations se singularisent par un mélange typiquement français de révolte, d'impertinence et de soumission. La hiérarchie désigne les rapports de commandement et de subordination qui existent entre des personnes. Dans l'entreprise, elle se concentre et se lit comme un livre ouvert dans un espace donné et soigneusement codifié.

L'IMPORTANT, C'EST L'ESPACE

L'espace de travail n'est pas choisi généralement par ceux qui y travaillent. Il ne leur appartient pas, ils n'ont strictement aucun pouvoir sur lui. L'important, aujourd'hui, c'est d'avoir un emploi, dans une entreprise située si possible à proximité d'un moyen de transport et non pas de posséder un bureau comme ceci ou comme cela.

Pourtant l'espace n'est jamais neutre, il influence les individus, engendre des comportements. On ne se conduit pas de la même façon dans une église, un centre commercial ou un café. Chacun s'adapte à l'espace et adopte les conduites attendues. L'espace émet des messages qui induisent des attitudes et des comportements appropriés.

Par exemple, un hall grandiose impressionne le visiteur mais aussi le travailleur. Il s'accompagne souvent d'un système discret mais efficace de filtrage des allées et venues, destiné bien sûr à la sécurité de chacun, mais permettant également une surveillance. Des bureaux vitrés, une certaine transparence vers les lieux ouverts aux visiteurs montrent l'efficacité de l'entreprise, sa puissance, et permettent de dire, sans le dire, « nous sommes vraiment les interlocuteurs qu'il vous faut ».

Un espace sinistre, un peu usé, à la lumière parcimonieuse signifie « nous travaillons beaucoup, nous ne gaspillons pas notre argent, donc le vôtre, nous ne sommes pas là pour nous amuser ».

L'espace de l'entreprise est, lui aussi, un moule qui engendre des relations variées. Les comportements et les échanges seront différents dans le bureau de direction, dans le couloir ou encore dans un bureau partagé par plusieurs collègues.

Intrusion dans la vie privée d'une secrétaire au moment de sa pause-déjeuner. Une juxtaposition périlleuse sur un coin de table entre le réchaud, la bouilloire, le téléphone et la machine à écrire. Cette dernière paraît bien archaïque à côté de ces premiers modèles électroménagers.

À chaque personne un espace est imposé. Votre place est ici, et pas ailleurs. Bien sûr, la notion d'enfermement, d'assignation s'est estompée depuis le XIXe siècle. Ce n'est plus le panoptique, décrit par Michel Foucault dans *Surveiller et punir*, qui permettait, hier dans les usines et encore maintenant dans les prisons, de surveiller l'ensemble des ouvriers ou des détenus d'un seul point de vue. Aujourd'hui les méthodes de surveillance des biens et des personnes sont douces, discrètes et de plus en plus sophistiquées avec les badges et les systèmes informatiques.

Dans l'espace de travail, presque aucune décoration n'est possible, à part quelques petits arrangements personnels, dans les limites du raisonnable. Accrocher une reproduction encadrée, apporter un vase pour des fleurs, etc.

C'est un espace hiérarchisé : aujourd'hui, vous êtes ici, mais si vous gagnez un échelon, vous gagnerez aussi vraisemblablement un étage et peut-être une fenêtre supplémentaire, rassurez-vous, il y a un ascenseur. Une grille existe et, suivant votre statut, votre espace vital et votre mobilier seront différents. Habituellement, un président-directeur général dispose d'au moins 36 m^2, et d'une belle moquette, ses directeurs, eux, de 30 m^2, ses chefs de département se contentent de 20 m^2, et vraisemblablement d'un tapis aiguilleté. Deux cadres, ou deux secrétaires, se partagent 15 m^2, et un sol en plastique. Bien sûr, ces normes peuvent varier légèrement d'une entreprise à l'autre. Mais si vous voulez avoir plus d'espace, une seule règle : montez d'un échelon.

Enfin à cet espace permis s'opposent des espaces interdits. Selon votre grade et votre statut, vous serez libre d'aller et venir dans telle ou telle partie de l'entreprise. Seuls le dirigeant et la femme de ménage, appelée dorénavant technicienne de surface, ont le droit d'aller partout, mais pas forcément aux mêmes heures...

Il existe un véritable mode d'emploi de l'espace. Celui-ci est régi par les distances imposées, remarquablement étudiées par le chercheur américain Edouard Hall. Lorsque vous devez traverser une pièce grandiose, pour venir vous asseoir dans un fauteuil un peu trop bas, le nez au niveau d'un immense bureau présidentiel, vous êtes dans la distance sociale en mode lointain et les rapports sont posés d'emblée. Si vous vous installez face à votre interlocuteur autour d'une table ordinaire, pour une petite réunion impromptue, vous êtes dans la distance sociale en mode proche (120 à 210 cm). Enfin, si vous préférez vous asseoir à côté de votre interlocuteur, vous mettez votre relation sur le mode personnel, proche ou lointain, à vous de voir. Le risque est d'empiéter

Une hiérarchie discrète, un espace ouvert meublé sobrement de bureaux et de sièges de cuir identiques. Pas de revendications sur l'espace. Les banquiers américains ne s'isolent pas forcément dans des bureaux fermés. Ici, en 1956, le staff d'une banque de Houston au Texas.

Le hall central du siège parisien de la Société générale, construit en 1905 par J.J. Hermant. Un des premiers bâtiments qui associe au fer et au verre le béton armé. Une coupole de 23 m de diamètre dans l'esprit de l'Art Nouveau éclaire le hall des guichets. Bois précieux pour les comptoirs, mosaïques polychromes au sol, bronzes fondus et ciselés par Christofle : une atmosphère de luxe (page ci-contre, en bas).

Une ambiance studieuse pour ces bureaux du début du siècle, disposés comme une salle de classe. Les tâches sont réparties : aux femmes, les papiers et les machines à écrire, aux hommes, les dossiers. À noter : un système astucieux de tirette pour agrandir le bureau ou poser son coude, à défaut d'accoudoir.

Le film américain de King Vidor réalisé en 1949, *Le Rebelle*, interprété par Gary Cooper retrace, sous forme romancée, l'histoire de F.L.Wright. Dans un même alignement, les employés se penchent comme un seul homme vers leur machine à calculer. Seul le cartel portant leur nom sur un coin du bureau confère un semblant d'identité.

Vue plongeante dans l'univers d'un employé de bureau qui disparaît derrière des piles de cartonniers et de registres. Devant lui, un buvard maculé d'encre, des plumes, des encriers, tous les outils indispensables au travail d'écriture au début du siècle.

sur son espace vital, que E. Hall appelle la « bulle », espace aux contours précis pour chacun, mais imprécis pour l'interlocuteur. Un fabricant de mobilier a ainsi étudié un programme pour le ministère de la Justice. Il s'agissait d'établir la « bonne distance » entre le juge et les prévenus ou les témoins qu'il reçoit. Ni trop loin ni trop proche, pour inspirer confiance tout en soulignant le respect dû à la fonction de juge.

La « bulle », c'est un territoire personnel qui est à la fois physique et mental. Il correspond à peu près à la surface immédiate du plan de travail et de la chaise et englobe un « espace invisible » autour, variable selon chacun. Toute incursion dans cet espace peut être ressentie comme une agression, un manque de respect. Le besoin d'intimité existe à la maison comme au bureau. De nombreux conflits, dans les espaces de travail surpeuplés, viennent de ce que leurs aménagements ne tiennent pas compte de ces codes secrets. Mais on identifie rarement l'espace comme le responsable de cette situation. D'autant plus que cette « bulle » existe, que l'individu soit statique ou en mouvement. Bouger, se déplacer dépend de nombreux facteurs : la liberté d'aller et venir, l'encombrement « objectif » des lieux, mais aussi quelque chose de plus personnel et subtil. L'encombrement visuel, par exemple, aura une influence sur le caractère et les comportements.

REGISTRE DE

Sous les lambris du ministère de la Justice, l'encombrement des petits bureaux contraste avec le vide des bureaux d'apparat.
Les dossiers s'entassent sur une console Empire. Sur le coin du bureau Louis-Philippe trône l'indispensable bouteille d'eau minérale.

L'École militaire est édifiée en 1751 par Gabriel. Ici, le bureau du maréchal Joffre, où l'ancien commandant en chef des armées françaises rédigea ses mémoires. Un espace immense : des boiseries de Verbekt, des peintures de Le Paon et des bronzes de Caffieri, un lustre à pampilles en cristal, un parquet à la Versailles (page ci-contre).

Cette relation très personnelle à l'espace dépend du sexe, de la culture, de l'histoire individuelle. Elle est très différente entre un Japonais, un Américain, un Français ou un Allemand. Le premier sera nettement plus sensible à l'intimité visuelle mais attachera peu d'importance à l'isolation phonique. Pour un Allemand, ce sera plutôt l'inverse. Un Américain, habitué à travailler en espace ouvert, cherchera à développer une petite sphère privée, et un Français se plaindra souvent des difficultés de communication avec ses collègues de travail, tout en s'isolant volontairement dans « son bureau », car il est extrêmement attaché à son espace personnel. Il ne fera pas toujours le lien entre la disposition des lieux et la qualité de la communication.

L'HÉRITAGE DES APPARTEMENTS BOURGEOIS

La hiérarchie est nettement plus lisible lorsque les entreprises occupent des appartements du siècle dernier, voire des immeubles entiers ou de vastes hôtels particuliers. Ici, il y a une forte corrélation entre la hiérarchie de la société et la hiérarchie de l'espace : aux grands, le grand espace, aux moyens les grands espaces partagés, aux petits les petits espaces, aux tout petits, les cagibis.

La structure des lieux a une influence (consciente ou inconsciente) sur la politique et la marche de l'entreprise. On reste dans la représentation classique du pouvoir, avec ses fastes, ses ors et ses moulures. Les bureaux directoriaux sont plutôt meublés Louis XV. On rencontre aussi parfois quelques mariages étonnants d'aménagements très modernes mis en écrin dans ce cadre ancien. Le reste de l'entreprise est un mélange original de volumes hétéroclites, de recoins, d'escaliers dérobés qui grincent, de couloirs étroits et malcommodes, de soupentes et de caves. Un territoire varié, avec de nombreux repères, un peu à l'image d'une maison.

« La maison abrite la rêverie, la maison protège le rêveur, la maison nous permet de rêver en paix », dit Gaston Bachelard, le philosophe, « alors les lieux où l'on a vécu la rêverie se restituent d'eux-mêmes dans une nouvelle rêverie. C'est parce que les souvenirs des anciennes demeures sont revécus comme des rêveries que les demeures du passé sont en nous impérissables ». Une maison et un lieu de travail sont différents, mais un grincement de parquet, une lucarne sont ici un support à un imaginaire, une symbolique totalement absents des immeubles de bureaux modernes.

Un aménagement moderne qui respecte l'intérieur d'un palais vénitien. Dans ces bureaux de la Compagnie des Eaux, l'éclairage discret d'Ingo Maurer laisse intact le superbe plafond aux poutres peintes. Fini le temps des faux plafonds disgracieux dans les lieux chargés d'histoire !

Ce genre d'espaces est parfois ressenti comme une gêne, lorsqu'il faut passer des câbles pour mettre les ordinateurs en réseau, ou lors de l'installation d'une nouvelle secrétaire dans un cagibi. Mais la diversité des lieux permet plus de convivialité. Et l'étalage des différences hiérarchiques est quelquefois mieux accepté. Comment faire autrement dans cet édifice ? Quand les bureaux sont paysagers, ils restent à échelle humaine. Il y a toujours des murs porteurs qui empêchent la création de trop grands plateaux. La promiscuité peut être importante, mais la diversité des espaces la rend plus supportable.

Certaines sociétés sont très respectueuses de la conservation de ces espaces anciens et déploient des trésors d'imagination pour cacher la modernité nécessaire à leur fonctionnement. À l'opposé, d'autres font disparaître froidement les moulures et les boiseries derrière des faux plafonds et des cloisonnements industrialisés. Le résultat est souvent désastreux. Le charme des lieux a disparu et la modernité n'est pas non plus au rendez-vous. Enfin quelques sociétés essayent d'adapter le cadre à leur fonctionnement, et non l'inverse, en attribuant les plus belles pièces aux « sédentaires », et les plus petites, à ceux qui passent beaucoup de temps à l'extérieur.

Un autre mariage réussi (ci-dessus), le système « Nomos » high-tech de Norman Foster s'insère parfaitement dans l'architecture de style Empire du palais Saporiti à Milan.
Conçu comme une cabine d'avion, il s'étend en hauteur grâce à un portique. Outre l'éclairage, cela permet d'avoir à portée de main tous les objets qui encombrent d'habitude le plan de travail.

Les conseillers d'État ne disposent pas de bureaux particuliers. Ils s'installent indifféremment dans la bibliothèque ou dans cette salle voûtée du rez-de-chaussée du Palais-Royal. Un dédale de bureaux surchargés de dossiers dans une atmosphère monastique pour préparer des avis sur les quelque cent projets de loi proposés chaque année par le gouvernement (ci-contre).

INFORMACIO

L'HÉRITAGE DE L'USINE ET DES MANUFACTURES

Le mur d'enceinte comme la cheminée d'usine n'existent plus, la production a déménagé un peu plus loin, en province, et aujourd'hui, il ne reste que des bureaux dans ces anciens ateliers, lieux sobres patinés par l'usure et le temps. Quand on a eu besoin de s'agrandir, c'est sans ostentation mais avec une certaine générosité dans l'espace. Une architecture extérieure, une enveloppe assez quelconque. Pas de luxe, pas de geste gratuit. Un bâtiment qui donne à chacun un lieu assez privé, et au détour des couloirs quelques salles de réunions. Un espace adapté à une certaine idée du travail héritée d'une histoire où les besoins en communication et échanges n'étaient pas les mêmes qu'aujourd'hui. Des lieux rationnels, rassurants, sans surprise. Les bureaux sont plutôt en modèle cloisonné, avec des pièces classiques de part et d'autre d'un couloir. Depuis les années 60, on en trouve également en espace ouvert ou « paysager ». La surface du bureau est liée à la fonction. Tout est codifié, nous l'avons vu, le nombre de mètres carrés, le mobilier, son type, ses qualités en fonction de sa place. Y compris le nombre de chaises pour les visiteurs. Système un peu figé, typiquement français, qui reflète le pouvoir des ingénieurs, c'est l'image du capitaine d'industrie, qui arpente à grands pas l'entreprise pour galvaniser ses troupes, en employant un vocabulaire guerrier.

Le ministère des Finances, à Bercy, est un exemple typique de ce courant. Une disposition ultra-classique, un souci de l'uniformisation et (donc de la dépersonnalisation ?) poussé à l'extrême. On y voit des bureaux le long de couloirs vertigineux, toutes portes fermées. Pour le visiteur, la question principale est de lutter contre l'angoisse de se perdre, de chercher en vain des repères pour s'orienter, de localiser la sortie, mais il n'ose pas semer derrière lui des petits cailloux comme dans l'histoire du Petit Poucet.

Une hiérarchie subtile et fine qui ne se voit pas au premier coup d'œil car les revêtements sont identiques, comme le mobilier. Mais la présence d'un, de deux, ou de trois postes de travail dans la même pièce indique aussitôt le statut. On se surprend à compter le nombre de fenêtres, puis le nombre de tables. Et puis les « vrais chefs » sont ailleurs, près du ministre.

Yves Liétar, un des architectes de l'équipe de Paul Chémetov, concepteur de Bercy, explique leur démarche : « Nous voulions attribuer 12 m² à chaque agent, alors que la moyenne en vigueur est de 8 m²

Reconversion d'une salle des machines de la Compagnie d'Électricité de Catalogne, fondée en 1896. Dans l'une des nefs a été aménagé un ensemble de bureaux paysagers. Une intervention minimale qui ne dissimule pas les origines industrielles du bâtiment, comme le rappelle le pupitre de commandes, conservé au fond de la salle (page ci-contre).

Le cabinet de travail de Pierre Bérégovoy lorsqu'il était ministre des Finances à Bercy. Un décor « serein, calme et antidesign » signé Écart International en 1985. Dans un espace quadrillé par les modénatures des fenêtres et du plafond, un bureau en chêne arraché posé de biais sur un socle de tiroirs (ci-dessus).

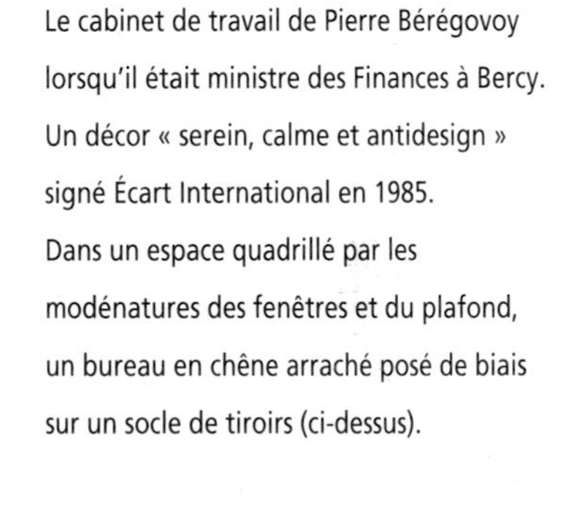

Lauréate des concours lancés par l'État pour l'aménagement du ministère de l'Équipement et celui des Finances, l'architecte d'intérieur Isabelle Hebey dessine cette lampe en verre sablé et métal. Inspirée par la Grande Arche de la Défense, elle est néanmoins destinée à Bercy.

Compartiments de bureaux ou bureaux en boîte, au choix. Un quadrillage de cases, contruit en 1992 pour le groupe des grands magasins Sears, à Hoffman Estate dans l'Illinois. Une version à peine différente de ce qu'avait imaginé pour ses bureaux du futur, vingt-cinq ans auparavant, le réalisateur Jacques Tati pour *Playtime*. Un seul mérite : l'intimité de chacun est partiellement préservée (ci-dessus).

par personne. Nous sommes partis de 14 km de façade de bureaux en retenant comme module de base le pas de 90 cm pour gérer l'espace en trois dimensions. La hauteur du plancher au plafond est de 2,70 m dans un bureau. À l'arrivée, on dénombre 824 bureaux de 12 m^2 pour une personne, 860 bureaux de 18 m^2 pour deux personnes, 300 bureaux de 24 m^2 pour 3 personnes et 200 bureaux de 30 m^2 pour 4 à 5 personnes. » De quoi donner le tournis…

LE BUREAU PAYSAGER, SA VIE, SES MŒURS

Espace de travail ouvert ou bureau fermé ? Depuis 1960 en France, le débat fait rage. Les bureaux paysagers naissent en Allemagne, à Mannheim, en 1958. Les frères Schnelle sont consultants en organisation et proposent à la société Borhinger cet aménagement révolutionnaire. Le bureau doit être le symbole des relations entre les gens et non plus de la puissance de l'entreprise. C'est cela la nouveauté.

Les frères Schnelle commencent par étudier la circulation des informations et des documents et proposent des aménagements adaptés.

« Il Pianeta Ufficio », la planète-bureau dessinée par Mario Bellini en 1975 contribua au succès de la firme Marcatré. Véritable jeu de construction, ce système intègre pour la première fois une table de réunion ronde. Une combinaison d'éléments simples pour se créer un cadre à sa mesure.

Leur originalité est de partir de la tâche à faire, en mettant de côté tout l'aspect symbolique du pouvoir et de la hiérarchie. L'idée : en enlevant les cloisons, en ouvrant l'espace, on supprime aussi les problèmes de communication et de relations.

Le bureau paysager qu'ils inventent n'est pas un lieu pauvre et vide, sans séparations ni meubles. Il propose un cadre vaste et agréable, avec de vrais massifs intérieurs de verdure et un mobilier moderne, aérien et pratique qui permet à chacun de conserver une sphère d'intimité et d'autonomie.

Le succès est immédiat aux États-Unis puis en France dès l'année 1965, surtout dans les compagnies d'assurance qui emploient un personnel nombreux. On aménage des bureaux paysagers, sans se poser de questions, jusqu'à la fin des années 70. Ce qui séduit, c'est le concept : un nouveau rapport « à la nature ». Le terme même de « paysager » n'est pas neutre. Implicitement, il propose un nouvel équilibre entre le travail de bureau proprement dit et la qualité de la vie. Ce qui séduit encore plus : la rapidité de mise en place.

De plus, cet aménagement répond bien au désir de rationalisation, et aux idées sous-jacentes, mais pas encore exprimées, d'économie d'espace. Et pourtant, d'emblée, en traversant l'Atlantique ou le Rhin, les bureaux paysagers se resserrent, s'engoncent. Là où les Américains prévoient 25 m^2 par personne, les Français se contentent de 15 puis au fil du temps de 12, 10 voire moins. Comme on a largement sous-estimé les besoins en rangement, les espaces s'encombrent d'armoires et de dessertes au détriment des massifs de verdure qui se réduisent peu à peu à la fameuse plante verte posée sur le coin du bureau… On oublie la philosophie première : la disposition des postes de travail, qui se voulait longuement pensée, devient, petit à petit, le fruit du hasard et des nécessités du moment.

Mais c'est du côté des utilisateurs que va venir la contestation : absence d'intimité, fatigue générée par le bruit et le mouvement permanent, manque d'intimité visuelle. Des rapports humains tout à fait banals prennent une importance démesurée. Dans un bureau paysager, je lève les yeux, je croise un regard, c'est-à-dire je « surprends » quelqu'un, je suis agresseur, avant d'être à mon tour assiégé, lorsque je suis « surpris » par le regard de l'autre. Je peux répondre par un signe, une mimique, et à la centième fois de la journée, par une grimace… Le bureau paysager gâche la vie en empêchant toute spontanéité et oblige chacun à garder un masque en permanence.

Le bureau paysager interdit tout savoir-vivre traditionnel. Comment frapper à la porte s'il n'y en a pas ? Comment passer juste la tête pour

Installation des bureaux paysagers du centre culturel Georges-Pompidou construit par Piano et Rogers en 1973, photographiée par Robert Doisneau. L'espace nu du plateau – câbles et tuyaux laissés apparents – est structuré par un mobilier et des cloisons métalliques vert pomme, couleur mode dans les années 70.

Les esquisses du décorateur Alexandre Trauner pour le film de Billy Wilder, *La Garçonnière* tourné en 1960. Trauner, qui obtint l'oscar du meilleur décor pour ce film entièrement tourné en studio, raconte : « L'idée était d'exprimer la solitude d'un homme dans toutes les situations. Plus le décor serait grand, plus l'homme paraîtrait petit. »

Ici, à Philadelphie, en 1987, les employés comparent chaque jour des dizaines de déclarations d'impôts avec les données de leur ordinateur. Sur papier et sur écran, un travail fastidieux dans un espace gigantesque qui ne facilite en rien leur tâche. Un aménagement de bureaux en voie de disparition.

un petit bonjour, etc. ? Pourquoi se lever et se déplacer pour donner un message à quelqu'un si, en élevant la voix, on se fait entendre ?

L'échec du bureau paysager est venu de son appauvrissement et de la difficulté des utilisateurs français à s'adapter au mode de vie qu'il suppose. Des Français qui chuchotent, ça n'existe pas. En Allemagne, par exemple, la préoccupation d'un bon fonctionnement et le souci de favoriser les communications informelles conduisent naturellement aux bureaux paysagers. En Angleterre, c'est la nature de l'activité qui influence le choix entre espace ouvert ou fermé. Et lorsque cette dernière solution est mise en œuvre, elle s'accompagne souvent de transparence et d'ouverture visuelle. Les États-Unis aménagent toujours leurs bureaux

sur de vastes plateaux mais les recloisonnent, la plupart du temps à mi-hauteur pour ménager une sphère privée.

La transparence et la communication ont été mises en échec par l'impossibilité de se ménager une intimité visuelle et phonique, de décorer ou de « nidifier » son coin. La promiscuité trop grande rend la concentration difficile et favorise la propagation des rumeurs. Le bureau paysager implique tout un art de vivre en groupe. Si chacun l'admet et se plie à de multiples règles non dites de savoir-vivre et de courtoisie, il offre de nombreux avantages. Mais qu'un seul ignore les règles et tout le groupe vit un enfer, en participant, à son corps défendant, à ses conversations, téléphoniques ou non, à l'odeur de sa Gitane maïs. Et c'est la surenchère...

Dans les bureaux paysagers, apparemment, le pouvoir reste discret. Pourtant il subsiste des différences subtiles. La question n'est pas d'avoir de la moquette ou non, un mobilier plus sophistiqué que celui de son voisin. C'est être près de la fenêtre, ou pas trop proche de la porte, à l'écart, caché derrière une plante verte, loin des autres. C'est avoir un téléphone et un ordinateur plus performant. Les entreprises où les dirigeants partagent aussi des bureaux paysagers se comptent sur les doigts de la main. Et pourtant, le bureau paysager continue à faire rêver, il est souvent pris comme décor de films. Il symbolise l'efficacité américaine. Il permet de mettre en scène le mouvement du travail, une dynamique collective, résolument moderne.

LA MODESTIE POUR TOUS

Le bureau d'études Écart fondé par la designer Andrée Putman. À l'image de ses réalisations, un décor épuré en noir et blanc. Un style personnel qui a marqué les années 80. Pour cette grande dame du design, « ce n'est pas la mode qui compte, mais l'intemporalité. De plus en plus de gens y sont sensibles ».

Le délicieux M. Hulot, personnage fétiche de Jacques Tati, en 1967, dans *Playtime*. Les aventures d'un groupe de touristes dans un Paris ultra-moderne et inhumain. Dans cette scène, M. Hulot, désorienté, cherche quelqu'un dans ce labyrinthe de bureaux : dérision et caricature du modernisme (page ci-contre).

Chez Michelin, la modestie s'applique à tous et le président donne l'exemple. Un article de 1994 paru dans *Monde Initiatives*, « François et sa chaise de bois », le confirme. D'ailleurs, pour bien souligner que le président est un homme comme tout le monde, inutile de lui donner son nom. François, c'est suffisant. Il a un bureau tout petit, « sans aucun standing » et s'assied sur « un siège en bois ». Mais il est difficile de vérifier cette information, car très peu de personnes peuvent se vanter d'avoir pénétré dans le bureau présidentiel. Impossible même de s'en procurer une photo. Il est situé au rez-de-chaussée d'un vieux bâtiment et non pas au dernier étage. François, portier de sa propre société ? Pas tout à fait, quand même, car les signes de pouvoir, même modestes, sont bien là. Il existe un système de protection de ce haut lieu du pouvoir, un interphone. La pièce comporte, dit-on, une petite cuisine intégrée au bureau, à quoi sert-elle ? François cuisine-t-il lui-même ? Nous ne savons pas. Pour une employée, qui malgré ses vingt ans de maison n'est jamais entrée dans ce sanctuaire : « On nous a toujours affirmé que son bureau était modeste. Si c'est vrai, c'est dommage. Pour un leader mondial amené à recevoir des visiteurs, il faudrait un décor à la hauteur. »

En fait, ici, le bureau proprement dit a peu d'importance puisque les visiteurs sont reçus dans des salons. N'empêche que les salariés fantasment en imaginant l'allure de ce bureau si secret.

Michelin est le plus connu, peut-être parce qu'il est le plus mystérieux. Des milliers d'entreprises, de taille plus petite, fonctionnent sur ce modèle. Dans la droite ligne d'une certaine austérité liée à la vision du travail, de multiples PME présentent cet aspect rassurant de locaux modestes et simples. Un couloir, des bureaux de chaque côté de même taille, un mobilier assez uniforme. Le dirigeant a simplement un bureau plus vaste, un mobilier à peine plus luxueux. Un coin-salon suffit le plus souvent à le singulariser. Une vague odeur de pauvreté perceptible aux vieilles corbeilles à papiers, aux revêtements un peu usés. Une certaine radinerie peut-être, visible dans les trous et les taches de la moquette du couloir.

Quelquefois, le hasard fait qu'un beau volume existe, quelque part. Il échoit bien entendu au chef d'entreprise. Mais il peut se révéler trop luxueux pour lui par rapport à l'idée qu'il se fait de lui-même et de l'entreprise. Il peut alors choisir volontairement la même décoration et le même mobilier que les employés, le transformer en salle de réunions

de
ba

Un bureau de direction. Des couleurs claires, un espace sobre qui met en valeur les objets choisis avec soin, une lampe Tizio, les chaises et fauteuil de Le Corbusier. Un aménagement réussi à l'image des réalisations d'Isabelle Hebey. « Elle gomme l'effort », disait son ami, le philosophe Henri Lefebvre, résumant d'un mot son travail.

Le bureau du président de la Century Pacific Investment Corp à Westwood en Californie. Un projet signé Sam A. Cardella. Un espace très vaste que se partagent un bureau classique et un salon autour d'une table en verre. Plus qu'un bureau de dirigeant affairé, une pièce à vivre (page ci-contre).

ou encore s'y installer avec son assistante ou son plus proche collaborateur. Le bureau prend alors une tout autre signification. Il est le plus vaste, bien sûr, mais il offre deux postes de travail. Manière rusée d'interdire toute revendication sur l'espace de travail. Le chef d'entreprise donne l'exemple et est logé à la même enseigne que ses collaborateurs. Dans ces conditions, il est impossible de venir revendiquer un petit signe de pouvoir et de reconnaissance.

LA MODESTIE POUR PRESQUE TOUS

C'est la tendance de loin la plus répandue, en France. Elle est plus le fruit de l'habitude que d'une volonté délibérée. Qu'il s'agisse d'un espace ancien ou moderne, la direction s'installe, le plus souvent, au dernier étage, de préférence côté sud. Les bruits sont assourdis par une moquette feutrée dès le couloir, les revêtements sont plus soignés : au mur, il y a des reproductions encadrées, l'éclairage est plus intime. Enfin, une double porte permet d'accéder au sanctuaire. Un bel espace, luxueux, décoré avec soin. Rien n'est trop beau pour le visiteur ou le client. Car c'est pour lui tout cela. Les dirigeants insistent sur l'image qu'il faut donner. En aucun cas, ce n'est par fantaisie personnelle, caprice ou goût du luxe qu'ils aménagent leur bureau de cette façon-là. Une cellule de moine leur suffirait, affirment-ils avec force.

Dans les locaux modernes, le problème est nettement plus compliqué. Créer des différences dans des espaces absolument identiques demande beaucoup d'ingéniosité. On joue d'abord sur la surface en donnant d'emblée au bureau présidentiel trois fois plus de mètres carrés que ses collaborateurs. Le système de construction en « trame » permet un jeu subtil avec les surfaces. L'éclairage n'est pas assuré par des coffres apparents au plafond, comme dans le reste de l'entreprise, mais par de discrètes lampes halogènes. Les murs sont tendus de tissu, les fenêtres ont des voilages. Le mobilier est luxueux. Mais comment signifier vraiment la grandeur de la fonction de dirigeant avec une hauteur sous plafond de 2,50 m ?

Quoi qu'il en soit, le visiteur ressent parfois un malaise devant une trop grande différence de traitement entre les espaces. En traversant, quelquefois par erreur, des couloirs ordinaires aux couleurs ternes encombrés d'armoires, son regard s'égare sur des bureaux exigus et malcommodes. Avec la sensation d'être un peu indiscret, il surprend ainsi l'envers du décor mais peut-être le véritable visage de l'entreprise.

UNE CERTAINE OPULENCE POUR TOUS

Quelques (rares) entreprises illustrent la position exactement inverse, le culte d'une certaine opulence pour tous. L'exemple le plus fameux se trouve en Hollande : Centraal Beheer.

Cette entreprise est devenue un lieu mythique, on vient la visiter du monde entier depuis sa construction en 1972. L'objectif : « Un lieu de travail où chacun se sente chez soi, une maison pour 1 000 personnes. » Des bâtiments à échelle humaine autour d'une zone centrale. Un jeu subtil de transparence et de protection individuelle. Les bureaux ressemblent à des serres, à des espaces de jeu avec de grands animaux en papier comme décoration. Des espaces communs soignés, une cafétéria à chaque étage dans une niche permet un certain repli. Impossible de deviner le statut des personnes en regardant leur poste de travail. Curieusement, Centraal Beheer n'a pas fait école.

Un autre exemple un peu plus récent, le « cas » Bouygues et son siège social de Saint-Quentin-en-Yvelines. Tout a été dit sur cette architecture offrant une certaine parenté avec le château de Versailles. Des bâtiments imposants en double fer à cheval autour d'un atrium, des colonnades en béton blanc au milieu d'immenses jardins à la française et une reproduction des chevaux de Marly, qui ornent la place de la Concorde. Une grande rigueur : même les voitures sont dissimulées. On aime ou on déteste, c'est une affaire du goût, mais on ne peut pas y rester insensible. Des bâtiments de bureaux qui provoquent des émotions même contradictoires, c'est rare !

Chaque société du groupe a gardé son image, son logo au sein de cette entité. Mais l'espace, moule commun, agit comme un facteur de cohésion et d'identité. Une architecture mise au service des valeurs, de la culture « Bouygues ». Kevin Roche, l'architecte, explique : « Bouygues m'est apparu comme une famille, c'est pourquoi son siège a la structure d'une maison avec de grands espaces destinés au travail, mais aussi à la communication, donnant aux hommes les conditions d'être heureux. » Il ne s'agit pas d'une maison au sens où l'entend Bachelard avec une cave, un grenier, et des escaliers qui grincent. C'est plutôt un claquement un peu sec des talons sur le marbre un peu trop brillant. Seuls les directeurs généraux ont leur propre bureau. Les autres acteurs sont en bureaux paysagers, agréables et confortables, dans une ambiance un peu figée. Beaucoup de services communs, banque, assurance, coiffeur, boutiques, salle de sport, salle de projection, etc.

En 1972, à Centraal Beheer, une architecture conçue par Hertzberger en rupture avec les traditionnels immeubles de bureaux. Une démarche expérimentale où tout est fait pour que les 1 000 employés se sentent un peu comme chez eux. Des décrochés, des loggias et des niches donnent à chacun un espace personnel.

Une immense verrière pour le hall de la société Bouygues. Cet atrium est la place du village. Tout y est : salon de coiffure, agence de voyages, succursale bancaire, bibliothèque, vidéothèque, mini-drugstore, gymnase, salle des fêtes et bien sûr des espaces de travail ! Une version moderne du grand magasin transposée à Saint-Quentin-en-Yvelines (page ci-contre).

Un cocon pour chacun afin de travailler au calme, mais aussi des transparences sur le reste de l'entreprise, voilà ce qui caractérise Centraal Beheer. Un lieu parsemé de plantes vertes et de grandes figures en papier mâché de toutes les couleurs, inattendues sur les murs d'une entreprise. Un cadre au travail sous l'objectif de Marc Riboud.

L'agence de publicité CLM/BBDO occupe depuis 1992 un bâtiment aux allures de paquebot ancré sur une île à Issy-les-Moulineaux. Une réalisation signée Jean Nouvel. Les coursives desservent les bureaux. Au milieu, un grand vide central avec un toit ouvrant « magique ». Des écrans de télévision diffusent en continu les derniers films publicitaires de l'agence (page ci-contre).

En Finlande, Digital Equipement est une autre illustration de cette tendance. Dans le nouvel emplacement choisi en centre-ville pour l'emménagement de la société, la surface ne permettait pas d'accueillir chaque employé (une soixantaine) avec son bureau, ses dessertes et ses armoires. Il a fallu inventer autre chose. Un lieu comme une maison avec un séjour aux fauteuils moelleux et confortables, une salle à manger faisant office, à la fois de salle de réunions, de travail et de cafétéria. Chacun, avec sa petite desserte sur roulettes et son téléphone sans fil, choisit son coin et en change au gré de ses besoins ou de son humeur.

En France, des agences de communication et de publicité ont mis en pratique les premières l'idée de supprimer la hiérarchie, en l'accompagnant d'une réflexion sur leurs façons de travailler.

La société BDDP fait figure de pionnier. Son architecture évoque un bateau avec ses ponts et ses coursives. De grandes verrières et d'immenses bambous permettent d'aménager des petits recoins intimes et sympathiques pour la conversation et les échanges, des postes de travail simples et identiques pour tous. Avec en permanence le souci de ménager l'intimité de chacun, soit par des murs vitrés en partie haute seulement, soit par une disposition astucieuse des bureaux, qui ne sont jamais « face au couloir ».

La compagnie Corporate, lorsqu'elle était à Levallois et avec quelques variantes aujourd'hui à Boulogne dans son nouveau siège, applique la même philosophie de l'espace que BDDP. L'aménagement est identique pour tous, de la secrétaire au président. Des bureaux de taille moyenne, sans porte, partout un mobilier blanc bordé de bois blond, installé face aux murs et aux fenêtres pour préserver l'intimité. Des ouvertures, de la chaleur, de la convivialité. Un œil exercé reconnaîtra le bureau d'un directeur, il a une petite table ronde blanche en plus !

Dans une autre agence de publicité et de communication de la région parisienne comme CLM/BBDO, par exemple, pas de hiérarchie, mais la reconnaissance de plusieurs métiers nécessitant différents mobiliers. Les assistantes ont des meubles classiques, les autres utilisent des secrétaires, revus et corrigés par Jean Nouvel, l'architecte qui a construit également le bâtiment. Les réunions se font dans la même pièce, autour d'une table ronde ou sur des canapés rouge vif. Enfin des « isoloirs » minuscules permettent de se concentrer à l'écart. Hélas, ils sont à peu près aussi confortables que des isoloirs de bureaux de vote. Les dirigeants disposent de bureaux privatifs de taille moyenne, aménagés comme ceux de

leurs collaborateurs. Cette absence quasi totale de hiérarchie par l'espace n'est pas ressentie de la même façon par les différents acteurs. Si les dirigeants sont fiers de cette réalisation originale, ils reconnaissent que leurs bureaux vitrés ont des inconvénients : une discussion serrée avec un collaborateur se passe sous le regard de chacun, qui peut ainsi commenter les mimiques ou la durée de l'entretien. Les collaborateurs sont sensibles à cette absence de hiérarchie sans en être forcément dupes.

Paradoxalement, c'est souvent dans des milieux où les différences de salaires (dans la publicité, entre autres) sont énormes que l'espace est utilisé pour dire : « Nous sommes tous pareils. »

Et les différences hiérarchiques s'exprimeront dans la liberté de son temps, la possession ou non d'un téléphone portable, la mise à disposition d'une voiture de service, etc.

Dans des entreprises plus classiques, la tendance est également à des aménagements « soft », qui n'insistent pas ou peu sur les différences. Un facteur économique : il est plus simple et moins coûteux d'acheter une grande quantité de meubles identiques, ou une même moquette, etc. Et l'aménagement de l'espace vient renforcer ici le discours managérial : quel que soit le niveau de chacun, nous formons tous une équipe. Avec toutefois une certaine hypocrisie : les dirigeants auront toujours nettement plus d'espace vital...

Cette uniformité apparente facilite néanmoins l'intégration des personnes au sein d'un groupe et valorisent les « petits » employés. Plus haut dans la hiérarchie, c'est parfois difficile à vivre, mais il est délicat de se rebeller puisque tout le monde est logé à la même enseigne. C'est finalement une manière astucieuse d'essayer de sortir des signes de hiérarchie.

Décors et accessoires

Des lieux calfeutrés
et surmeublés
de nos grands-parents
aux espaces nus, de
verre et d'acier
contemporains,
le bureau suit
des modes et revèle les
personnalités.

« Toute femme qui joue bien du piano et qui possède une bonne connaissance du phonographe peut devenir une excellente dactylographe. Un métier parfaitement adapté aux femmes », affirme un catalogue de 1880. Et les femmes, sachant jouer du piano ou non, investissent le monde du tertiaire, jusque-là réservé aux hommes, comme employées, secrétaires, demoiselles des postes, puis cadres.

On invoque la psychologie féminine, souligne le chercheur François de Singly, pour expliquer ce recrutement massif depuis le début du siècle, en rapportant le discours tenu à l'époque : « plus soigneuse, plus attentive que l'homme, la femme a de merveilleuses aptitudes pour les mille besognes de nos grandes administrations qui n'exigent que de l'ordre, de l'exactitude, de la patience ».

Dans un livre plaidoyer publié en 1914, André Bonnefoy enjoint les hommes de quitter les bureaux. En effet, les premières dames entrées au Crédit Lyonnais en 1883 au service des titres sont 500 en 1898, et 1 900 en 1913. Elles représentent, alors, 40 % du personnel du siège central parisien. Une des solutions trouvées, au début du siècle, pour les contenir, est de les regrouper ensemble dans des pools de dactylos. Une façon de les séparer physiquement de leurs collègues masculins et de rendre leurs promotions plus difficiles, en parcellisant leurs tâches. « On aurait pu penser que le fait de se servir d'une machine à écrire était considéré comme un travail plus qualifié que le simple travail de copie à la main qu'effectuaient les hommes au XIXe siècle. Il n'en a rien été », souligne l'historienne Lisa Fine dans un article intitulé *La machine a-t-elle un sexe ?* Au Crédit Lyonnais, toujours, pour préserver la morale, les femmes empruntaient un escalier spécifique et utilisaient une cantine particulière. Il est vrai que le partage de l'espace ne se fait pas sans difficulté entre hommes et femmes.

Les métiers sédentaires acquièrent une image « féminine ». L'idéal, « pour une femme » est de devenir infirmière ou secrétaire. Phénomène qui s'accentue après la Seconde Guerre mondiale. Les salariées représentent 59 % de la population active féminine en 1954 et 84,1 % en 1975. Cette année-là elles dépassent les hommes (81,9 % de salariés). Peu à peu, elles « occupent » littéralement le secteur tertiaire (deux femmes pour un homme), ici et dans toute l'Europe. Les inégalités subsistent. En 1989, le salaire moyen des femmes est inférieur de 31 % à celui des hommes.

Si leur travail a changé avec l'informatique, elles continuent d'occuper surtout les emplois de bureau peu ou pas qualifiés. Majoritaires dans la fonction publique, elles représentent les deux tiers du personnel des collectivités locales, la moitié du personnel de l'État.

Jourdain, Chareau, Sognot et Adnet ont participé à la restauration du Collège de France. En 1938, Jourdain est chargé du bureau de l'administrateur. Tapissés de panneaux de bois, les murs comportent d'astucieux systèmes de rangement. Le soir, des panneaux coulissants occultent les fenêtres, créant un lieu intime propice à l'étude. Cet intérieur existe toujours, tel que l'a dessiné Jourdain (page précédente).

Image stéréotypée de la parfaite secrétaire : charme, douceur et élégance pour cette indispensable collaboratrice. Une disponibilité de tout instant, une écoute attentive pour des tâches parfois ingrates : classement, frappe... (page ci-contre).

Vue générale d'un bureau new-yorkais sur Park Avenue en 1952. Pour que les employés profitent de l'éclairage naturel, les bureaux sont accolés à proximité des fenêtres.

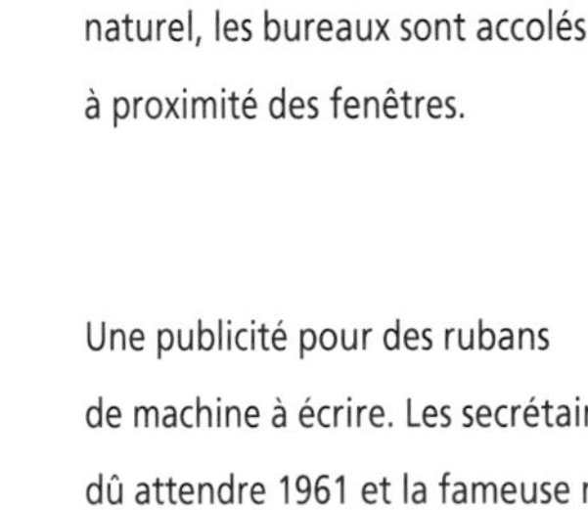

Une publicité pour des rubans de machine à écrire. Les secrétaires ont dû attendre 1961 et la fameuse machine à boule d'IBM pour ne plus se salir les doigts en changeant les rubans à encre noir et rouge.

Un chef de bureau et sa secrétaire. D'un certain âge, il respire la respectabilité. Elle est jeune et charmante. Une étrange complicité entre eux. Sous le regard légèrement paternaliste, elle prend des notes avec application.

Marilyn Monroe en secrétaire sage dans le film d'Arthur Pierson *Hometown Story* tourné en 1951, aux côtés de Jeffrey Lynn. Face-à-face plein de sous-entendus entre ces deux personnages. Difficile de rester insensible au charme de la pulpeuse Marilyn qui pourtant dans cette scène joue le jeu de la collaboratrice attentive et efficace (page ci-contre).

Une secrétaire sans machine à écrire, ça n'existe pas. La première Remington noire date de 1873. La même année, Thomas Edison cherchait à mettre au point un modèle électrique mais sans y parvenir. Il faudra attendre 1950 pour se procurer une IBM électrique.

L'INDISPENSABLE SECRÉTAIRE

La figure emblématique de l'employée, c'est la secrétaire. Et pas n'importe laquelle : la secrétaire de direction. Celle dont le bureau communique avec celui du patron, et qui lui parle plusieurs fois par jour. Celle qui voit passer quasiment tous les dossiers et conserve précieusement à côté d'elle ceux qui sont confidentiels. Au vide du bureau directorial s'oppose l'encombrement du sien. Elle gère l'agenda et devient le passage obligé pour avoir accès au saint des saints. Au téléphone une grande partie de son temps, elle gère les priorités et travaille souvent dans l'urgence pour organiser une réunion. Ses horaires sont parfois lourds mais son rôle est reconnu : « Si ma secrétaire est malade, avoue un dirigeant, je ne peux pas fonctionner. »

La secrétaire de direction forme un véritable couple avec son patron. Elle en est le complément. Les auteurs de *Sur les traces des dirigeants* en dressent quelques portraits savoureux : il est taciturne, elle est chaleureuse et exubérante, il est « trop gentil » et ouvert, elle est un peu dragon. Une estime mutuelle les unit et, la plupart du temps, elle « suit » son patron au gré de ses promotions. Il ne peut pas vivre sans elle, elle ne peut pas vivre sans lui.

L'image de la femme secrétaire, dévouée, loyale et toujours vaillante, vaguement amoureuse de son patron, a inspiré bon nombre de films et est toujours présente. Les réalisateurs l'ont montrée tour à tour se vernissant les ongles, se recoiffant ou étalant son « rouge baiser » tout en téléphonant. Talons hauts, jambes gainées de soie, taille de guêpe et décolleté intéressant au-dessus du clavier. Jane Fonda a réagi contre cette image en produisant le film *From 9 to 5* à la fin duquel elle lance cet appel « Secrétaires d'entreprises, unissez-vous ! »

Cette représentation typique de la secrétaire rêveuse devant sa machine se superpose avec celle de l'assistante futée, qui prend, d'une certaine façon, le pouvoir pour protéger son patron de nombreux traquenards, comme Fanny Ardant dans *Vivement Dimanche !*, un film de François Truffaut.

L'assistante a introduit dans l'entreprise séduction, douceur, disponibilité et discrétion. Ses compétences sont appréciées et une relation très personnalisée à son patron la singularise. « Nous passons notre temps à leur faire gagner du temps », dit l'une d'elles. Dans l'ombre en permanence, elle n'est pas pour autant l'éminence grise de son patron. Elle s'occupe du quotidien mais n'a pas de place dans la représentation publique du pouvoir.

norman rockwell
4745 LIND 0D P JUL 61
MRS P E FRITSCHER
4745 N LINDER AV
CHICAGO 30 ILL

Réunis pour la première fois à l'écran, le couple Spencer Tracy et Katharine Hepburn dans le film de George Stevens *Woman of the Year*, en 1942. Elle est journaliste politique, il est chroniqueur sportif. Ils se marient et, bien entendu, les problèmes commencent. Relations de couple difficiles quand la femme poursuit une carrière plus brillante que celle de son mari.

Sa place particulière entre l'équipe dirigeante et les collaborateurs et son accès privilégié à l'information ont fait de la secrétaire de direction l'archétype du bureau. Elle représente, encore aujourd'hui, un certain idéal social pour les jeunes filles.

À partir des années 70, les femmes cadres débarquent dans l'entreprise. Elles adoptent immédiatement les mœurs masculines. La devise : faire oublier qu'en plus je suis une femme. D'où l'attaché-case, la disponibilité, le sourire pour la réunion impromptue de huit heures ce soir et l'inévitable tailleur, véritable uniforme de travail. Aux États-Unis, d'ailleurs, on trouve dans certains grands magasins un rayon « Career Woman » spécialement pensé pour elles. Mais peu à peu, les choses changent. Des études le montrent : depuis quelques années, les jeunes cadres femmes font preuve d'une telle efficacité qu'elles déstabilisent en profondeur les us et coutumes du monde des cadres.

Plus simples, plus concrètes, moins attachées à des signes de pouvoir, elles brouillent le rituel de la hiérarchie. En effet, posséder un bureau un peu plus vaste, ou une fenêtre de plus ou de moins, un téléphone ou un micro plus sophistiqué, quelle importance au fond ? En revanche, elles sont plus sensibles au climat général, à l'ambiance, au décor et aux sentiments.

Les pieds sur le bureau, un plaisir réservé exclusivement au « chef ». Caricature de la super-woman, Kathleen Turner, dite Vic, est l'héroïne du thriller *V.I. Washawski*, réalisé en 1991 par Jeff Kanew. Dans le rôle d'une détective obstinée, amoureuse d'un joueur de hockey, elle fait fi des conventions et se comporte comme un homme.

Clin d'œil complice du *Laveur de carreaux* de Norman Rockwell, peintre et illustrateur américain. Une situation cocasse. Une jolie secrétaire se laisse séduire par un laveur de carreaux facétieux et en oublie ses notes. Petite entorse à la relation souvent intense qui unit un patron et son assistante (page ci-contre).

DE L'AMOUR AU STRESS

Avant l'arrivée des femmes, l'entreprise se menait comme une armée. Aujourd'hui, le travail, comme les écoles maternelles, est mixte. Les sentiments et les émotions existent au bureau. Quels sont ceux qui sont tolérés ? Comment vont-ils se traduire dans l'espace de travail ? Le décor du bureau joue-t-il le même rôle que le décor de théâtre, support des émotions et des sentiments des acteurs ? Les magazines féminins développent à l'infini des thèmes tels que l'amour au bureau, le stress, ou les rapports conflictuels avec son patron, avec de nombreuses anecdoctes à l'appui.

Premier thème : l'amour au bureau. Sujet sulfureux et quelque peu ambigu. On l'évoque pour masquer les difficultés d'échanges et de relations, on prête à l'un ou à l'autre de tumultueuses aventures pour pimenter un quotidien qui n'a rien d'exotique.

Le peintre américain Edward Hopper et d'autres artistes ont bien rendu ce thème de l'amour, du flirt, de l'ambiguïté au bureau dont l'archétype reste le couple patron-secrétaire. Edward Hopper montre des situations troublantes et fiévreuses.

Car l'amour au bureau existe. Les chiffres sont là : 12 % des Français ont rencontré leur conjoint sur leur lieu de travail. Un bon nombre d'entreprises pratique une politique très familiale en embauchant le mari, la femme, puis le gendre. Chez IBM, aux États-Unis, c'est l'inverse. L'employé n'a qu'une seule famille : l'entreprise. Les couples sont bannis. Une anecdote circule à propos de Bill Gates, le président de Microsoft. Rencontrant une employée qui sort, harassée, après une journée de douze heures, il lui demande ironiquement si elle est passée à mi-temps !

La France, fidèle à sa tradition, ferme les yeux sur les histoires de cœur de ses employés, à condition qu'ils restent discrets. Les Américains apprécient moins, comme le montre le film de Barry Levinson, *Harcèlement*. Même si ce dernier a pris le contre-pied des idées reçues : ici, c'est une femme de pouvoir qui harcèle un de ses collaborateurs. Marivaudage et jeux de séduction n'ont pas leur place dans l'entreprise, le risque est trop grand. Aux États-Unis, dorénavant, les portes sont largement ouvertes en cas de rendez-vous mixte à une heure tardive ou alors, une tierce personne fera office de chaperon ! Pas moins de deux cents affaires de harcèlement sexuel ont été traitées en 1994 par un cabinet d'avocats spécialisés à New York. Pourtant ce sont des chercheurs américains qui soulignent que « l'attraction sexuelle entre collègues,

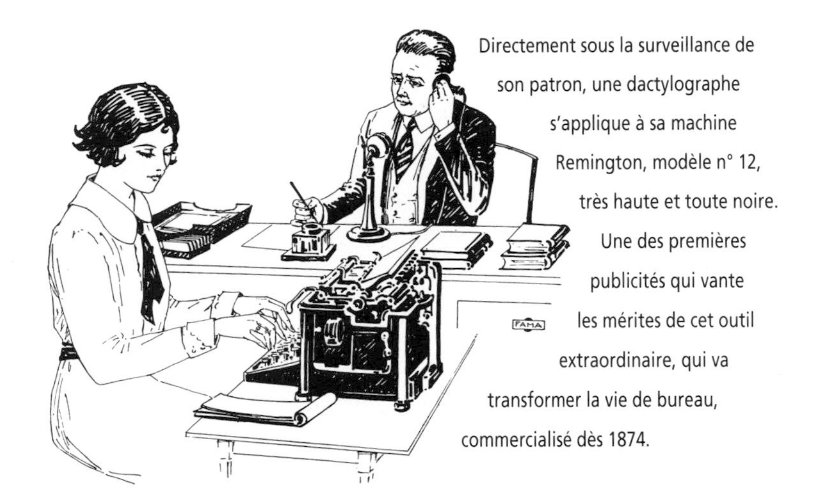

Directement sous la surveillance de son patron, une dactylographe s'applique à sa machine Remington, modèle n° 12, très haute et toute noire. Une des premières publicités qui vante les mérites de cet outil extraordinaire, qui va transformer la vie de bureau, commercialisé dès 1874.

« Maintenant ma petite, si tu n'a pas eu le temps de noter, c'est que j'ai parlé trop vite ! », dit en substance la légende de cette photo de 1907. Difficile apprentissage que celui de la sténographie, système d'abréviation de l'écriture inventé probablement par les Grecs. Xénophon l'utilisait pour recueillir les entretiens de Socrate. À partir du XVIIe siècle, les méthodes se sophistiquent mais le principe reste le même (ci-dessous).

« Ce tableau, note Edward Hopper, me fut probablement suggéré par mes nombreux voyages, la nuit tombée, dans le métro aérien de New York et la vision si brève des intérieurs de bureaux. » Peint en 1940, *Office at night* restitue ces impressions furtives à travers une atmosphère étrange entre deux personnages (page ci-contre).

Dernier film muet du réalisateur français Jacques Feyder en 1929, *Les Nouveaux Messieurs* est une satire des hommes politiques et de leurs pratiques. Il fut d'abord interdit pour « atteinte à la dignité du Parlement et des ministres ». Les décors de Lazare Meerson reconstituent les ors et les fastes des bureaux du pouvoir (page ci-contre).

La scène torride de *Harcèlement*, tournée par le cinéaste américain Barry Levinson en 1994 avec dans le rôle principal Michael Douglas. Renversement des rôles : histoire peu banale d'un cadre harcelé par son patron, la sulfureuse Demi Moore (ci-dessus).

Le bureau n'est pas toujours un lieu calme et sans histoire. Entre gens de bonne compagnie, tension, conflit, haine ou rancœur existent mais restent contenus. Parfois ce code de bonne conduite explose comme dans cette scène du film *A Young Gentleman of the Old School* où deux protagonistes en viennent aux mains (ci-dessous).

avec ou sans passage à l'acte, favoriserait la productivité ». Pour les chercheurs de l'université du Dakota du Nord, les équipes mixtes sont nettement plus rapides et créatives. Pour l'équipe du Wisconsin, « les employés amoureux d'une collègue allongent leurs journées au bureau et embrassent leur travail avec une ferveur nouvelle ».

Certaines entreprises ont compris qu'une utilisation originale de l'espace pouvait agir sur l'agressivité et la tension nerveuse. Pour canaliser l'agressivité, par exemple, la journaliste Marie-Béatrice Baudet décrit un aménagement étonnant aux USA, dans un *Monde Initiatives* d'octobre 1994. Le soir, à la fermeture des bureaux, on éteint les lumières et chacun peut lancer à la tête de l'autre, des « nerve balls », des balles antistress. L'objectif : décharger l'agressivité. Pour accéder au bureau du président, « il est nécessaire de traverser une antichambre noyée sous les "nerve balls" qui entourent le visiteur jusqu'à la taille. Un parcours du combattant qui épuise physiquement l'interlocuteur moins prompt à céder à des mouvements d'humeur ».

L'agressivité peut même aller jusqu'à l'agression. À en croire la revue *Management Review*, 8 % des affrontements entre salariés ont été mortels, 9 % ont occasionné des blessures et une hospitalisation, 23 % étaient des blessures légères, et 20 % ont engendré un stress post-traumatique.

Plus banalement, le stress est reconnu comme un acteur principal de l'activité des entreprises. Le surpeuplement, l'entassement des dossiers, du matériel de bureau malcommode et mal positionné, une absence totale d'insonorisation, autant d'ingrédients suffisants pour fabriquer un stress de qualité.

FRIDEN

HABITER SON BUREAU

Lorsque vous visitez cinq appartements identiques d'un même immeuble, vous êtes frappés par l'aménagement personnel, la « patte » que chacun a mise, les trésors d'imagination déployés. Si les meubles sont disposés sensiblement de la même façon, ils sont anciens ou modernes. Les styles, les couleurs et les étoffes sont variés. Les objets, bibelots, luminaires n'ont rien à voir entre eux. La salle de bains non plus n'est pas décorée ni investie de la même façon.

Mais avoir un bureau identique à celui du voisin ne gêne personne. Pourtant l'entreprise est aussi un lieu de vie, dans lequel on reste huit heures par jour, pendant une grande partie de son existence. Cependant on préfère ne pas trop y penser. La différence est là. Et puis de nombreux interdits pèsent sur le monde du bureau. Si on souhaite faire des changements même mineurs dans son bureau, faut-il demander l'autorisation ? Et à qui ? Comment serait perçue une arrivée dans un nouveau lieu de travail avec des cartons de bibelots, tentures et coussins, des meubles personnels ?

À l'heure actuelle, un important courant exhorte chacun à être lui-même et encourage le développement du « moi ». Dans votre apparence, comme dans la décoration de votre appartement, faites preuve d'originalité, assumez-vous, montrez votre personnalité. En un mot, mais avec l'aide de nombreuses revues spécialisées, soyez vous-même ! Ce discours s'arrête à la porte de l'entreprise. Trop de réticences subsistent dans le monde du travail. Cet espace est mis à votre disposition pour un usage en « bon père de famille, de bonnes mœurs ». Pas question de le transformer, d'y développer une originalité intempestive. De quoi aurait-il l'air s'il ne ressemblait plus à un lieu de travail ?

Lorsque quelqu'un prend possession d'un bureau, il arrive les mains vides. Sa priorité est de se faire accepter par ses nouveaux collègues, pas de marquer son territoire. Au début, il va tout seul prendre un café à la machine à café. Son examen de passage est réussi lorsque ses voisins l'invitent. Partager un café est plus simple que partager son espace vital. Les Américains, par exemple, ont une conception différente du partage. Quand il faut accueillir un nouveau venu, chacun déplace sa table pour lui faire une place. Il y a un réajustement de l'ensemble du groupe et une nouvelle distribution des surfaces. C'est une façon de signifier « voilà, vous êtes accepté ». En France, il n'est pas question de toucher à ses avantages acquis. Le nouveau se contente de la seule place restante pour installer son bureau.

Une scène du film *La Garçonnière* de Billy Wilder, tourné en 1960. C.C. Baxter, joué par Jack Lemmon, tout juste promu à un poste supérieur, quitte sans regret l'univers anonyme des employés pour rejoindre un petit bureau personnel. Première étape d'une longue ascension sociale dont lui seul détient le secret (page ci-contre).

Une photo d'Elliott Erwitt, intitulée sobrement *Un cadre*. Scène de la vie quotidienne au bureau. Un coup d'œil rapide sur des notes, penché au-dessus d'une étonnante table de ferme, dans une grande pièce aux volets de bois persiennés. Une atmosphère de maison coloniale.

LE MOBILIER MIS EN SCÈNE

Isabelle Hebey a voulu une atmosphère gris bleuté pour Bercy. Ici, le fauteuil des années 90 dessiné pour le bureau du ministre des Finances et du Budget. Une ligne pure et aérodynamique.

Les fabricants aujourd'hui proposent des meubles adaptés à nos espaces standard. Les dénominations sont restées assez exotiques : bureau présidence (180 x 90 cm), ministre galbé (212 x 90 cm) ou encore demi-ministre (120 x 80 cm), mais que faire avec un demi-ministre ? Ils sont vendus avec retour, ou sans retour, accompagnés de dessertes, sur roulettes ou sur pieds. Le bureau n'est plus forcément rectangulaire. Il peut être carré, comme le « Kvadrat » dessiné en 1988 par J.-L. Berthet et G. Sammet, avec un angle coupé, arrondi comme un haricot. Il est parfois carrément rond comme celui créé par Ettore Sottsass, avec ses pattes d'araignée et son plateau de verre. Ou en demi-lune comme celui conçu par Marc Alessandri. Ou encore mi-chèvre, mi-chou, « en goutte d'eau » avec une partie rectangulaire pour travailler, qui se termine en excroissance arrondie sur le côté pour se réunir.

La disposition la plus répandue reste un plan de travail au centre, avec une desserte plus basse sur la gauche ou sur la droite, non pas parce que vous êtes gaucher, mais parce que la pièce y oblige. Courant, également, le bureau avec un retour perpendiculaire, disposition dite en « L ». Plus audacieux, l'aménagement « corridor ». Un bureau classique et derrière soi, une desserte rectangulaire, disposition fréquente dans les pays anglo-saxons.

Un bureau de direction hexagonal en ébène et cuir. Une allure sobre pour un modèle des années 70. Tous les outils, téléphone, papiers et dossiers sont astucieusement dissimulés dans des modules, aux extrémités, évitant ainsi l'encombrement du plateau.

Les finitions s'arrondissent, elles aussi. Le bord du bureau n'est plus coupant et net, mais rond, sensuel et chaud, car le bois est de plus en plus présent. Les fauteuils de direction ressemblent toujours à des fauteuils de direction. Noirs, avec un énorme dossier et des accoudoirs voluptueux. Les sièges pour les visiteurs sont plus variés. Ils sont empruntés parfois au répertoire des nouveaux cafés chics parisiens. Une valeur sûre, indémodable reste les fauteuils LC 2 de Le Corbusier. De forme carrée, en cuir noir, enserrés dans un piètement métallique. Ils ont inspiré un designer suisse, Stephan Zwicky, pour une version 1980 en béton et ossature en fer à béton.

La couleur fait une entrée timide dans le mobilier depuis quelques années. Le bois devient presque blanc, à force d'être clair. Les stratifiés de couleur pastel arrivent. Mais les gammes proposées n'intègrent toujours pas de sofa moelleux, de méridienne ou de rocking-chair. La balancelle comme le hamac sont encore bannis. Les canapés confortables, interdits de séjour. Sauf dans les bureaux des « créatifs » des agences de communication. Pour qu'ils trouvent un slogan qui fera la

Le bureau de Jean-Louis Berthet et Gérard Sammut, « Kvadrat », fabriqué par Airborne en 1988. Un immense carré en laque noire brillante, au bord profilé en aile d'avion, posé sur trois cylindres noirs satinés. Une composition rigoureuse entre les différents volumes : la table et les dessertes.

fortune de l'agence, on est prêt à leur passer quelques caprices ! Les Américains, dont le rocking-chair est élevé au rang de symbole national, n'ont pas réussi à l'introduire dans leurs espaces de travail. Les armoires de rangement sont le plus souvent assez vilaines. Leurs proportions sont commandées par les dimensions des dossiers normalisés. Ceci explique cela. On rêverait parfois de retrouver dans son bureau du mobilier conçu pour la maison et les chambres d'enfant. Une belle étagère haute, par exemple, avec une tête de crocodile tout en haut et des portes en forme d'écailles, pourrait-elle recevoir des dossiers ordinaires de format 21 x 29,7 ?

La façon de mettre en scène le mobilier dans la pièce permet de créer une ambiance. L'emplacement du bureau, face à la porte, par exemple, induit une certaine relation de pouvoir. Un bureau près de la porte, et perpendiculaire à celle-ci, est généralement celui d'une personne « moins élevée » dans la hiérarchie. Une disposition assez rare : le bureau face à une fenêtre, le dos à la porte. La culture française veut qu'on voie arriver l'éventuel visiteur. On peut aussi aimer

Large table dessinée par Carlo di Carli destinée au Palazzo dei giornali, « immeuble des journaux » conçu par l'architecte italien Giovanni Muzio en 1940. Version moderne du bureau double face. À l'allure profilée, il s'avère idéal pour travailler à deux de part et d'autre d'un grand plateau de verre.

L'agence d'architecture GMP à Hambourg en Allemagne. Performance d'architectes pour aménager un volume contraignant. Un grand plan de travail corrige l'arrondi des fenêtres, le bureau vient s'encastrer en biais. Une décoration « graphique » ponctuée par la lampe-signal de Philippe Starck et le fauteuil d'Antonio Citterio.

Deux vues de la société Karbouw, réalisées en 1990, à Amersfoort, en Hollande. Ci-dessous, un vaste espace minimaliste ordonné autour d'éléments géométriques. Combinaison de cubes entre l'architecture et le mobilier. Un maximum de lumière filtrée par une cloison translucide intégrant des rangements discrets.

Dans le même bâtiment, une architecture chaotique, qui dépasse l'idée de la simple boîte et oublie ici le cube. Rien n'est droit, les lignes sont fractionnées et obliques. Une enfilade de bureaux isolés par des parois coulissantes d'acier perforé. Un travail de l'architecte Ben Van Berkel (page ci-contre).

les coins, ou préférer avoir « le dos au mur ». De nombreuses études de psychologie sociale se sont penchées sur la question. Comment l'individu s'accommode-t-il de son espace ? Les universitaires, par exemple, ne s'installent pas systématiquement face à la porte et s'aménagent un espace confortable entre le bureau et le mur. Ils peuvent s'étirer sans se cogner.

Les Américains, lorsqu'ils partagent une pièce à plusieurs, se répartissent le long des murs et laissent le centre de la pièce vide pour des activités communes (réunions, classement, documentation). Les Français ont tendance à occuper l'espace central.

L'arrivée des micro-ordinateurs dans les bureaux modifie leur aménagement. Les coins sont mieux utilisés. On accepte plus facilement d'être le dos à la porte, si on est face à son ordinateur. En revanche, le mobilier supportant les ordinateurs se cherche encore. Rares sont les écrans situés à bonne distance et à bonne hauteur. À quand des meubles en forme de guignol, de mini-théâtre, ou des meubles en carton ? Franck Gehry, architecte, en avait dessiné il y a plus de vingt ans. Un bureau et une chaise composés de feuilles de carton collées par compression aux formes douces et arrondies. « Je peux les concevoir le matin et avoir fini de les réaliser à la fin de la journée », expliquait-il. Il récidive dix ans plus tard, mais les entreprises ne suivent pas ; il continue alors à concevoir des meubles de lignes courbes, inspirés du panier traditionnel en osier, mais en bois. Cependant, leur prix de revient est nettement plus élevé...

Enfin, pour cloisonner un grand espace, on peut utiliser au choix des armoires, des dessertes à mi-hauteur, des cloisons de verre, ou des cloisonnettes recouvertes de feutrine. Chacun peut ainsi protéger son territoire. Certains font preuve d'originalité. Ainsi, dans les précédents locaux du magazine *Le Jardin des Modes*, des paravents en Formica avec les couvertures de ses magazines assuraient à la fois l'isolation visuelle et la promotion de l'entreprise. La mode aujourd'hui est au paravent en métal ajouré qui a l'inconvénient de n'assurer aucune isolation phonique. Une belle réédition : celui en métal perforé d'Eileen Gray. Philippe Stark en a dessiné un en bois, qui intègre des photos encadrées de bois également, et devient ainsi un véritable élément décoratif. Des panneaux en verre, très en vogue, ne ménagent malheureusement aucune intimité visuelle.

LUMIÈRE ET COULEURS

L'ambiance est le résultat des choix de revêtements, aux murs et au sol, de l'éclairage, intégré ou apparent dans le faux plafond, de l'éclairage complémentaire, lampadaires, lampes de bureau et du traitement des ouvertures, par des voilages, des rideaux, ou des stores. La couleur est importante, comme les textures, les matières. Le toucher, aussi : tituber sur une moquette épaisse, par exemple, ne donne pas les mêmes sensations que de marcher sur un sol en marbre ou en plastique. Le visiteur est sensible aussi à la patine, à l'état d'usure, et à la propreté des lieux.

L'ambiance peut paraître harmonieuse, baroque, ou sordide. Un éclairage trop blanc et violent détruit une atmosphère intime. Dans les années 60, on a découvert que la lumière peut être source de bonne humeur et d'accroissement de la productivité : on a tendance depuis à en faire un usage immodéré. L'éclairage ruisselant des faux plafonds n'est pas très flatteur pour le teint ni très bon pour le moral. Rien ne remplace une petite lampe d'appoint à l'éclairage jaune ou rosé, sur le coin du bureau.

La plus courante, c'est la lampe à piétement mobile, héritage des lampes d'architectes qui restent indémodables. Noire, presque toujours, avec un éclairage halogène. La plus célèbre est la « Tizio » créée en 1972 par Richard Sapper. Plus aérienne, la « Dove » dessinée par les designers Mario Barbaglia et Marco Colombo. On note également un retour aux années 30, avec des rééditions de lampes en acier noir ou argent, plus trapues, à l'abat-jour rond comme un bol.

La lampe classique, avec son pied en forme de bougeoir, surmontée de trois fausses bougies munies d'ampoules électriques, et coiffée d'un abat-jour vert ou bordeaux tend à disparaître, sauf dans les bureaux ministériels, dont elle est devenue un véritable symbole.

La palette des couleurs n'est pas vraiment chatoyante. Une lourde hérédité de marron, beiges, gris foncés et gris clairs pèse encore sur les espaces de travail. L'orange ou le violet des années 70, dont il reste çà et là quelques vestiges, n'ont pas vraiment fait école, mais personne ne le regrette vraiment. Suivent ensuite des années très noires et grises soulignées d'un filet de bleu dur ou de jaune canari qui personnifient le design et la modernité. Et, ces dernières années, un engouement pour le gris acier et le verre transparent ou sablé rehaussé de quelques taches de rouge.

Jean Perzel imagine des luminaires qui ne sont plus de simples lampes à pétrole ou des bougeoirs transformés. « Je voulais masquer entièrement la source lumineuse tout en utilisant ses rayons. À partir de là, j'entrepris une recherche sur l'opacité relative du verre nacré et dépoli. » Il fonde sa société en 1918 dessinant lampes de tables, lustres, appliques et plafonniers aux lignes géométriques. Ces modèles-ci datent de 1924 et 1930. Ils sont toujours édités.

L'incontournable « Tizio » dessinée par le designer allemand Richard Sapper en 1972. Référence absolue, c'est la lampe la plus vendue dans le monde, éditée par Artémide. Réglable, elle prend toutes les positions. Les vis ou les ressorts traditionnels sont abandonnés au profit d'un équilibre dynamique grâce à son bras à double balancier.

Certains prennent le contre-pied. Pernod, par exemple, pour les bureaux paysagers de sa direction régionale de Paris, a osé le mauve en 1989. Du mauve partout, du mauve sur les murs et sur les meubles, des fauteuils rouge framboise, du matériel de bureau jaune vif. Surprenant. Pourquoi le mauve ? H. Cohen, responsable de projet chez Pernod, explique : « Le violet apporte chaleur, calme et repos. C'est une couleur qui se marie bien avec le bleu. Les personnes parlent moins fort et les relevés effectués par des spécialistes en acoustique ont établi un niveau sonore identique à celui d'un bureau individuel ! »

La couleur obéit, elle aussi, à des modes. Aujourd'hui, le blanc et les couleurs pastel se rencontrent plus fréquemment. Le noir disparaît, le gris s'estompe ou se mélange avec du rose et du vert. Le bois entre en scène, le chêne, le hêtre ou le peuplier clair, presque blanc, en placage sur les murs, en paravents, et dans le mobilier. Mais la dimension symbolique de la couleur, son côté stimulant, ne fait pas encore l'objet d'études.

Ambiance bleu nuit pour ce bureau de Charles Rutherfoords, à Covent Garden à Londres. Lumière verte de la lampe d'Ettore Sottsass et rigueur noire du fauteuil club dessiné par Cini Boeri. Une palette de couleurs froides donne à ce bureau une atmosphère mystérieuse.

L'architecte d'intérieur Andrée Putman a été l'une des premières à exhumer le travail d'Eileen Gray, de Pierre Chareau ou de Michel Dufet en rééditant leurs meubles à partir de 1978. Ici, on retrouve ce mobilier qui lui est cher. Autour d'une table qu'elle a dessinée, les chaises de Mallet-Stevens et une lampe de Fortuny.

Les bureaux de Apple à New York aménagés par Studios Architecture. À la fin des années 80, les architectes commencent à utiliser la couleur. Ici une palette de coloris pastel qui souligne le jeu de volumes de ce couloir.

Chaque couleur a une « température », le jaune représente la chaleur absolue, le bleu, le froid absolu. Elle a aussi un sens. Pour le peintre Kandinsky, dans son cours sur la couleur au Bauhaus, le jaune, expansif, franchit les limites, il est agressif, actif, volatile, et rapproché des états d'âme, « il pourrait être la représentation colorée de la folie » ; le bleu, couleur typiquement céleste, « attire l'homme vers l'infini », il est timide et passif, doux et soumis. Puis il oppose le blanc et le noir et enfin, le rouge et le vert. Kandinsky pensait que les couleurs représentent un langage visuel qui finirait par communiquer les sentiments plus clairement que le langage verbal.

On sait d'ailleurs que les couleurs agissent sur le moral. Elles ont un effet physiologique. Certaines sont trop agressives, d'autres déprimantes. Pour le peintre Fernand Léger, « la couleur donne la joie, elle peut aussi rendre fou ». Et sans vouloir transformer chaque entreprise en école maternelle, on regrette souvent son absence. Au début du XIXe siècle, l'écrivain Johann von Goethe disait que seuls « les nations sauvages, les personnes incultes et les enfants ont une grande prédilection pour les couleurs vives ». Le bureau a longtemps repris cette opinion à son compte et néglige le langage des couleurs.

QUELQUES ACCESSOIRES, PAS FORCÉMENT SUPERFLUS...

La touche finale est donnée par les objets posés sur le bureau, le sous-main, les pots à crayons, l'agenda, les dossiers. Que d'accessoires sur le bureau ! En voici un inventaire à la Prévert : sous-main, calendrier, pendule, lampe, corbeilles à documents, corbeilles à papiers, trieur à papiers, pot à crayons, crayons non taillés, stylos à bout de course, feutres ou Bic sans encre, ciseaux, porte-papiers, presse-papiers, boîte à trombones, agrafeuse, perforeuse, taille-crayon, briquet et matériel de fumeur, cendrier, Post-it, trombones, calculatrice, tampon-buvard, porte-mémo, dévidoir de Scotch, etc. Ils ne sont pas tous utiles, ni en état de marche, mais la plupart sont des objets fétiches qui ont une dimension ludique. Comme le presse-papiers en verre qu'on retourne pour voir tomber rêveusement la neige. Plus chic, un morceau de météorite ou de lune, enserré dans un parallélépipède de Plexiglas.

Ces objets font réellement partie du travail, comme en témoigne Adrien, le héros du roman *Belle du Seigneur* d'Albert Cohen :

« Pris de remords et faisant rêveusement tournoyer son toton clandestin, puis jouant à entrechoquer ses billes de cornaline, puis trompant sa mélancolie en actionnant au ralenti son agrafeuse, sans nul plaisir, car son oisiveté le torturait, il se chercha des justifications. [...] Ensuite, pris d'une folâtre envie de travailler, il introduisit un crayon dans une Brunswick grand modèle qu'Octave se mit en devoir de faire tourner... Trois cent cinquante, annonça-t-il, car il tenait compte du nombre de crayons qu'il avait taillés depuis son entrée au secrétariat général de la Société des Nations. »

Un sous-main sur le bureau, par exemple, est un gage de classicisme. Il s'en dégage une impression de sérieux, s'il est en cuir et non en polyuréthane. Des bacs à courrier et dossiers de couleurs vives aux lignes épurées, comme ceux dessinés par le designer Enzo Mari, pour le fabricant Danese, par exemple, mettent en valeur votre dynamisme. Les objets en acier perforé noir ou rouge donnent une image jeune et « bricolo ». Les accessoires en Plexiglas sont en perte de vitesse au profit d'objets en bois aux formes rondes, qu'on a envie de toucher. Ils accentuent votre côté sensuel. Sous-main, pots à crayons, corbeilles, porte-trombones, et, luxe suprême, un étui à lunettes en érable massif. Il existe aussi, dans la même gamme, un miroir de table orientable dont l'usage n'est pas précisé. Le matériel de bureau en plastique noir, aux formes « design », reste indémodable. Osez la couleur, mais méfiez-vous des modes... Si vos moyens sont limités, pensez aux gammes en

Vue plongeante sur un bureau en noyer signé Iréna Rosinski et édité par Macé. Des formes pures et élégantes inspirées de meubles anciens pour un ensemble qui trouve sa place aussi bien à la maison que dans l'entreprise (ci-contre, en haut).

Une sélection d'accessoires raffinés pour le bureau, sous-main, agenda, buvard, porte-crayons gainés de cuir rouge, dans la grande tradition de la maison Cassegrain, fondée en 1919 (ci-contre).

Sobriété de l'érable et lignes douces pour ce vide-poche de bureau dessiné par Jean-Pierre Vitrac, édité par Edwood. Version moderne du plumier de jadis.

carton tout simplement, délicatement recouvert de kraft pelliculé de jolies couleurs pastel. Méfiez-vous, cependant, des objets compacts qui rassemblent tout votre petit bazar dans un seul accessoire. Ils ne sont pas tous heureux.

Quelques objets choisis avec soin, disséminés négligemment sur le coin du bureau, vous permettent de contrôler votre image au plus près. Soigner son apparence est ainsi plus facile. À condition d'avoir un peu de rigueur. L'habit fait le moine, c'est bien connu. Et le bureau avec son décor donne une représentation du travail mais aussi de vous-même. En un mot : « soyez ce que vous voudriez avoir l'air d'être », comme disait la duchesse à Alice, au pays des merveilles...

Les visiteurs admis dans le bureau de Mme Gomez, lorsqu'elle dirigeait Waterman, en parlent encore avec émotion. Un bureau blanc de la tête aux pieds, une hôtesse habillée de blanc, également de la tête aux pieds, un bureau entièrement vide avec seulement un pinceau lumineux éclairant un stylo Waterman, bien sûr ! Tout le monde n'a pas la possibilité d'une telle mise en scène, ni l'imagination nécessaire.

Ne vous trompez pas sur le choix de votre lampe de bureau. La lampe « Tizio » assure une petite touche de modernité de bon aloi. On peut aller plus loin en choisissant la « Kandido » de Porsche qui donne l'impression d'être en perte d'équilibre, tout en restant stable. Plus osée, la lampe d'Ettore Sottsass, le maître du design italien. Ou pourquoi pas dans un coin les pierres lumineuses d'André Caseneuve ?

Autre détail important : le portemanteau. Une partie de l'année, il n'est pas masqué par votre pardessus. À l'indémodable perroquet en bois ou en métal, vous pouvez préférer un des plus originaux et certainement le plus cher, celui en forme de pyramide en acajou perforé de Maurizio Duranti pour Morphos. Les patères sont réglables. Le portemanteau emprunté à la chambre de vos enfants en forme de crayon rose ou bleu signera votre non-conformisme ! Et pour ceux qui détestent cet objet, signalons le plus discret : une simple tige d'aluminium verticale, sur un socle plat arrondi avec de petits crochets.

Enfin, le fin du fin de l'art de vivre au bureau, c'est votre corbeille à papiers. Gainée de cuir, en métal ajouré, en aluminium brillant ou en plastique moulé, dessinée par un grand designer ou achetée dans un grand magasin, c'est une petite chose qui a son utilité. Elle signe votre décor ou le détruit. Si elle déborde, elle signifie à votre visiteur que vous travaillez beaucoup, certes, mais que votre service d'entretien laisse peut-être à désirer. Si elle reste obstinément vide, elle indique votre hantise du gaspillage et votre forte conscience écologique.

Au détour d'un stand aux Puces, une caverne d'Ali Baba pour les amateurs de plumiers, encriers, écritoires, loupes, coupe-papiers et autres stylos anciens. Ici, un aperçu des trésors de « l'Homme de Plume » mis en scène sur un bureau 1900. Grâce à un panneau escamotable, ce dernier se transforme en bureau vis-à-vis ou bureau-ministre (page ci-contre).

Une harmonie de bois clair et de blancs pour l'ancien bureau de Terence Conran à Londres. Face à un mur tapissé de gravures représentant des planches de pinceaux et de brosses, une table d'architecte, un fauteuil pivotant à dossier ajouré et une corbeille en hêtre dessinée par James Irvine. Une atmosphère de simplicité à l'image du créateur d'Habitat et du Conran Shop.

Et n'allez pas tout gâcher avec votre cendrier. Le cendrier est au départ un objet mobilier à part entière, massif sur son piétement chromé. Puis de forme cubique (celui d'Enzo Mari en 1958) et enfin arrondi en plastique noir et aluminium moulé (d'Enzo Mari, toujours, en 1973). Il quitte son pied pour se retrouver sur le coin du bureau, en cristal, ou en acier inoxydable massif en forme de cône, comme celui dessiné par Sylvain Dubuisson. Des systèmes sophistiqués s'efforcent d'avaler les cendres et les mégots, et d'éviter les odeurs. Enfin, le cendrier prend des couleurs. Depuis, la querelle des fumeurs et des non-fumeurs fait rage. Mais le calumet de la paix vient de sortir sur le marché : un cendrier ionique qui marche sur piles. Il détruit par des ions négatifs les ions positifs créés par toutes les pollutions possibles, dont la fumée de cigarette. Dans certaines entreprises, les cendriers sont encore présents, mais d'une telle propreté qu'on voit tout de suite qu'il est hors de question d'en faire usage. Après une carrière utilitaire, ils deviennent objets de décoration.

Dans leurs catalogues, les fabricants mettent en scène des bureaux de direction quasiment dépouillés de tout objet. Le vide, nous le verrons, est toujours un attribut du bureau de dirigeant. Il subsiste un sous-main, parfois un élégant agenda avec une paire de lunettes à côté. Ou encore une lampe, une calculette ou le journal *Le Monde*. La mode actuelle est à l'immense table qui fait office à la fois de bureau et de table de réunion, un magnifique sous-main de cuir permet de distinguer la place de l'occupant permanent.

Les fabricants de mobilier font une subtile différence entre les bureaux de président-directeur général décideur, dont le bureau est net de tout papier, et les bureaux de président-directeur général manager qui ont droit à un bureau câblé, c'est-à-dire qui intègre dans sa structure le passage des fils et des câbles nécessaires au micro, Minitel, téléphone, etc. Câblé ou non, la tendance actuelle est à la dissimulation de la technologie sur des dessertes ou sous la table.

Les bureaux des collaborateurs sont présentés de manière plus vivante avec des corbeilles à dossiers en plastique au design soigné, un micro-ordinateur, un téléphone et quelques papiers en cours de lecture.

Enfin, les fabricants pensent à tout et proposent des gammes de « sets de table », des coordonnées de la lampe à la corbeille. Ils rééditent de magnifiques objets dessinés par des architectes ou des designers. Mais ces accessoires évoquent immanquablement le bureau.

Pourquoi ne pas détourner davantage objets et mobilier ? Ranger ses trombones dans un plat à escargots d'Alessi, par exemple. Pour les crayons, un sucrier, ou une série de verres illustrés par des designers, comme le service de verres à whisky en cristal sablé vert et décoré de cactus à l'or fin pour Daum de Hilton Mac Connico. Un peu d'imagination que diable !

La fantaisie est trop dramatiquement absente des espaces de travail. Jamais de siège « Mickey » ou de fauteuil « séduction » (de Masanori Uméda) évoquant des pétales de rose... Dommage ! Rarement de lutrin-pupitre pour ne pas toujours lire assis-derrière-son-bureau, de porte-plantes en forme de sculptures pour égayer son espace... Certains mobiliers du XIXe siècle offraient plus de variété : un même meuble permettait de travailler assis ou debout, selon son humeur.

Un objet de la maison est devenu, pourtant, l'accessoire numéro un du bureau : la bouteille d'eau minérale. Présente à tous les niveaux de la hiérarchie, y compris sur les bureaux des ministres, comme la bouteille de whisky, qui elle, est évidemment rangée dans un placard... D'autres objets de la cuisine ou du salon mettraient une note de gaieté sur les plans de travail.

DES GOÛTS ET DES COULEURS

On peut facilement dresser un catalogue des goûts actuels amenant toute personne travaillant dans un bureau à suivre les tendances marquantes de l'art de vivre au bureau de nos contemporains. La tendance « design » se décline aussi bien dans des immeubles modernes que dans des bâtiments anciens, sous la protection des saints patrons du design, saint Jean Nouvel ou sainte Andrée Putman. Meubles modernes, noir et métal, ou verre et métal, tableaux abstraits au mur, gadgets électroniques dans tous les coins, vidéo, micro parfois branché, écrans divers et variés, murs gris clair et moquette gris fumé. Des agrafeuses ou perforeuses massives plaquées or ou argent. Une ambiance chic. Pas de voilages, ni de doubles rideaux, des stores en aluminium et un éclairage halogène. Coin-salon hyper-moderne avec des meubles dessinés par des architectes-designers.

Une façon assez agressive d'affirmer sa modernité, de clamer haut et fort que non seulement on vit avec son temps mais qu'on le précède en niant, parfois, l'importance des relations humaines au profit d'un décor surprenant et glacial qui protège l'occupant des lieux. Pourtant, le design n'est pas une force magique qui résout par l'esthétique les problèmes réels d'organisation et de communication internes à l'entreprise.

L'appartement parisien du décorateur Serge Pons. Une lumière changeante selon les couleurs du ciel, un goût certain pour le dépouillement et l'austérité mettent en valeur une très belle collection d'objets antiques, gorgone en terre cuite ou fragment de chapiteau. Une grande rigueur pour un lieu très personnel.

Réalisé par Jean-Michel Wilmotte, le bureau d'André Rousselet pour la société des taxis G7. Un cadre dépouillé, presque « zen » qui ressemble plus à une galerie d'art qu'au bureau d'un homme d'affaires. Les meubles en frêne et métal noir dessinés par le designer contrastent avec le blanc du sol et des murs. Au fond, deux fauteuils de Charles Eames.

Le Métropol Office System édité par Vitra. Pour Mario Bellini, son concepteur : « C'est une espèce d'archipel où l'île principale est la table. Tout autour de cet îlot : une table ronde pour s'asseoir, des supports pour les accessoires, de petites colonnes pour les computers et le téléphone, des caissons sur roulettes. C'est une vraie micro-agglomération urbaine. D'où son nom. »

La tendance « branchée » est nettement plus rare, il faut bien le reconnaître. Meubles modernes noirs, coin-salon avec sofa moelleux et coussins de soie bariolés, tentures népalaises et lithographies abstraites aux murs, sur la petite table de réunion ronde près de la fenêtre un livre rare ouvert sur une magnifique estampe japonaise, une musique d'ambiance qui détonne un peu, genre NRJ, un gros chien. Il ne manque qu'une cheminée, résolument moderne, avec un feu crépitant même en plein mois d'août. Les objets du bureau sont hétéroclites, parfois empruntés à la maison, résolument branchés. Par exemple, une corbeille en papier kraft d'inspiration vaguement orientale, une collection de boîtes précieuses en laque pour les trombones et les agrafes ou encore un panier à linge en osier pour entreposer des dossiers ou des chemises.

La tendance « mon cocon » est infiniment difficile à réaliser dans les espaces de travail modernes, mais elle s'épanouit pourtant dans des lieux austères et ordinaires. Les murs sont couverts de posters, le moindre plan horizontal accueille une profusion de bibelots et d'objets les plus variés. Par exemple, le passionné de voitures épingle au mur des photos et pose sur son bureau quelques modèles réduits.

Plus classique, des images de torrents en montagne, une collection de plantes vertes soignées avec amour et, à proximité, un coin dînette avec cafetière, théière, tasses et soucoupes soigneusement empilées comme sur le bord d'un évier, et quelques boîtes en fer pour les biscuits et le sucre. Des photos et des dessins des enfants, mais aussi des neveux et des nièces. Un bureau très encombré, avec un coussin en crochet sur le siège, un gilet nonchalamment abandonné sur le dossier de la chaise, un vêtement oublié sur le portemanteau à porter chez le teinturier. Un bureau « habité ».

La tendance « collectionneur » se repère très facilement. Les classiques punaisent sur leurs murs les cartes postales de vacances envoyées par les collègues. Les sentimentaux accrochent les photos de tous les moments forts de l'entreprise. L'inauguration des nouveaux locaux, le départ à la retraite de Mme Germaine, la sortie de l'année dernière et l'arbre de Noël. Les plus conventionnels collectionnent les dossiers, en piles diverses, agrémentées ou non de Post-it jaunes. Un rempart de chemises, de paperasses, qui signifie : mon vieux, vous ne voyez pas que je suis débordé, je dois tout faire ici. Il y a aussi ceux qui ne peuvent se résigner à jeter ou à ranger et servent, en quelque sorte, d'« archives » au reste de l'entreprise. On est toujours sûr de retrouver un document égaré chez eux. Leur attachement va parfois jusqu'à refuser de se séparer d'une vieille chaise défoncée ou d'un ordinateur hors d'usage.

Mais il y a aussi les vrais collectionneurs d'objets les plus divers. Version luxe : le président d'Axa et ses trophées de chasse. Une collection impressionnante de gazelles, sangliers et autres animaux à poil vous contemplent d'un air narquois. Version plus modeste mais tout aussi sportive : les collections de coupes sportives d'escrime, de judo ou de pétanque.

Et enfin les collectionneurs d'objets totalement inattendus comme cet amiral américain, William J. Crowe Jr, dont le bureau est tapissé d'étagères remplies non pas de livres ou de dossiers mais de plus de neuf cents casquettes, couvre-chefs, sombreros, tyroliens, fez, turbans, gondoliers, képis, borsalinos et autres coiffures...

Ou le bureau de Sophie Debure, au Club Méditerranée, rempli de chapeaux extraordinaires, avec des manèges qui tournent ou des cascades de fruits, mais aussi de peintures sur soie, de bijoux et de costumes. Pourtant, ici, rien n'est gratuit ou « décoratif ». Ce n'est pas une collection mais un amoncellement d'objets divers liés à son travail : la responsabilité des arts appliqués dans les clubs. Un bureau qui tient de l'entrepôt et de l'atelier d'artiste. La pièce possède néanmoins un coin classique avec ordinateur, Minitel, téléphone. Mis à part le siège du visiteur qui est un escabeau haut de dessinateur. Une vitrine originale et pas guindée qui montre tout ce qu'il est possible de faire pendant une semaine au Club !

La tendance « je ne suis pas là » ou encore, « je ne fais que passer » se trouve dans n'importe quel espace, puisque par définition le cadre n'a pas d'importance. Pas un signe, pas une présence, pas un papier, pas d'objet, le strict minimum. Une pièce vide, monacale, appropriable par chacun.

« IS YOUR OFFICE WORKING ? »

Quels que soient les tendances et les choix, la finalité est d'aménager des espaces propices au travail. Les Anglais emploient une merveilleuse expression : « Is your office working ? », difficilement traduisible pour nous. En un mot, votre bureau vous facilite-t-il la vie ou vous empêche-t-il de bien travailler ? Vous y sentez-vous bien ? Comment agit-il sur votre moral ? Si vous deviez le résumer pour le louer ou le vendre par une petite annonce, que diriez-vous ? « Belle surface, orientation plein sud, vue magnifique, poutres, cheminées, tout confort », ou « cagibi, plein nord, travaux à prévoir » ?

Travaillez-vous dans un océan de bruit ou dans un silence trop pesant ? Êtes-vous dans un milieu rangé ou désordonné ? Trop de désordre nuit, trop d'ordre ennuie. Le désordre est parfois synonyme de dynamisme et d'activité, mais il fatigue vite et génère une immense perte d'énergie. D'après une étude récente, chaque personne passe en moyenne quarante minutes par jour à chercher ou à ranger des documents. L'ordre donne parfois l'impression d'un mortel ennui et d'un manque de fantaisie même s'il garantit une meilleure efficacité. Les armoires de bureau sont fonctionnelles, strictes et froides le plus souvent. Reste un juste milieu à trouver en inventant des meubles de rangement chaleureux et gais. Ou encore en créant çà et là des petites pièces consacrées exclusivement au rangement pour aérer un peu les espaces de travail.

Deux vues de la Lloyds, construite par Richard Rogers dans la City de Londres en 1980. Une immense arche de verre de 100 m de haut coiffe l'atrium. Appréciant peu le style High Tech, le prince de Galles aurait déclaré lors de l'inauguration « Eh bien, Monsieur Rogers, on dirait que les ingénieurs n'en ont fait qu'à leur tête, cette fois. » Pour l'anecdote, l'architecte a finalement décidé de conserver sur le toit de l'immeuble les grues bleues utilisées lors de la construction. Le public enthousiaste visite chaque jour ce bâtiment.

Profitez-vous de la lumière naturelle, ou devez-vous y ajouter un éclairage artificiel ? Êtes-vous près d'une fenêtre ? La fenêtre est un facteur important de bien-être, comme la vue et la lumière. C'est-à-dire l'air. Un rappel discret d'un des quatre éléments. Et intéressons-nous aux trois autres. L'eau est-elle présente dans votre entreprise ? Un petit bassin dans l'entrée, une fontaine ou une cascade dans le hall, dont le murmure vous fait rêver ou plus prosaïquement un simple distributeur d'eau réfrigérée au détour du couloir ? Le feu serait symbolisé par les couleurs et la tonalité générale.

Enfin la terre. Est-ce une minable plante verte sur votre bureau, un bosquet de fleurs artificielles et poussiéreuses dans le couloir ou une somptueuse jungle dans le hall ? À Montréal, dans une résidence privée, une immense verrière double la construction. Des arbres, de la végétation, des lianes mais aussi des perroquets et des oiseaux multicolores adoucissent les hivers rigoureux. Difficile de généraliser une telle réalisation... Cependant certaines sociétés sont très soucieuses d'introduire un petit morceau de nature chez elles. Ainsi la compagnie Corporate fait disposer chaque lundi des petits bouquets blancs, mauves et verts (les couleurs « maison ») dans les espaces communs de l'entreprise pour le plaisir de tous. D'autres, plus traditionnelles, réservent les bouquets aux bureaux de dirigeants ou à la salle à manger de direction. La hiérarchie se niche parfois dans des pétales de roses ou des lys blancs.

Des entreprises japonaises font, paraît-il, appel à une société de cosmétique pour stimuler olfactivement leurs employés. Serait-ce pour les « mener par le bout du nez » ? Le matin, des effluves de citron, à midi, des notes florales, vers 15 heures, des senteurs de forêt, et en fin de journée, une douce odeur de lavande ou de menthe viennent dynamiser les collaborateurs. Existe-t-il une odeur du bureau ? Un parfum de travail ? Et faut-il le masquer ?

L'ESPRIT DU LIEU

Les Chinois, depuis toujours, ont prêté attention aux forces harmonieuses d'un site et en tiennent compte avant d'édifier la moindre construction. Le Feng-shui combine des éléments des trois principales religion : taoisme, bouddhisme et confucianisme, et accorde une grande importance aux quatre éléments, à l'orientation et aux signes astrologiques. Ce n'est pas à proprement parler une religion, mais plutôt un

Le bureau du directeur d'une usine de camions à Shanghai. Une version ordinaire des espaces de travail, photographiée ici par Marc Riboud en 1965. Décor rudimentaire avec au mur des maximes du président Mao Tsé-toung : « un esprit combatif et opiniâtre », « un sentiment de classe ardent », « une attitude scientifique rigoureuse ».

C'est à Hong Kong que Norman Foster construisit l'édifice le plus cher du monde, la Shangai Banking Corporation en 1985. Véritable tour Eiffel du XXe siècle dans laquelle 20 000 personnes travaillent. L'architecte anglais a tenu compte des principes ancestraux du Feng-shui. Un vide spectaculaire avec jardins suspendus et escalators (page ci-contre).

ensemble de pratiques, un modèle, une philosophie pour situer harmonieusement les hommes et leurs constructions au sein d'un ensemble cosmique. Une simple observation d'un paysage ne suffit pas à déterminer un bon site. Il faut s'aider d'un compas spécial et des compétences d'un spécialiste.

En Europe, traditionnellement, la moindre ferme était toujours construite sur un versant ensoleillé, à l'abri des vents dominants et à l'écart des inondations ou des couloirs d'avalanches. Mais nous avons oublié ce savoir, contrairement aux Chinois.

Ainsi la Shangai Banking Corporation, la banque la plus chère et la plus avancée technologiquement de ces dernières années, construite à Hong Kong par N. Foster, avec ses jardins suspendus, ses vides spectaculaires et ses escalators impressionnants (dont le but est de favoriser la communication), a pris en compte la philosophie du Feng-shui. La disposition des escalators, par exemple, n'est pas due au hasard ou à la fantaisie de l'architecte mais aux conseils d'un consultant original maître en Feng-shui. Le dessin initial en forme de X était en contradiction avec les principes Feng-shui, il a donc changé. Il a recommandé également des plantations de bambous, à certains endroits qui n'étaient pas « bons » pour en adoucir les influences. Le Feng-shui est en quelque sorte un art de la gestion. Des firmes occidentales commencent à s'y intéresser et pas seulement celles qui emploient un personnel chinois. Ainsi, l'agence de conseil en gestion Mac Kinsey, pour son antenne de Hong Kong, s'est entourée, elle aussi, des conseils d'un maître en Feng-shui, qui décida de la place de l'entrée, de la disposition des bureaux et de la décoration du vestibule.

L'emplacement et la situation du bureau du directeur sont un point fondamental pour les Chinois. Sa position dominante affirme son pouvoir. Pour eux, l'autorité émane généralement de l'angle opposé à l'entrée. La table de travail doit être placée en diagonale par rapport à la porte et face à cette dernière. Si cette disposition est impossible, un miroir placé face à vous, permettra de « voir » la porte. Les couloirs sont à éviter, dans la mesure du possible, et les cloisons vitrées sont à implanter avec discernement. La décoration intérieure peut tenir compte du Feng-shui. Ainsi, un tableau représentant des montagnes et de l'eau dans un bureau de manager symbolise la puissance et la prospérité, un presse-papiers en cristal, de la végétation sont des antidotes à de mauvaises influences. Certains vont encore plus loin en déterminant l'emplacement idéal de chaque employé, en fonction de son signe astrologique (chinois), de son nom et de sa date de naissance.

Bureaux du pouvoir

Hommes d'État ou présidents de société dans leur bureau de fonction.
Un choix à faire entre tradition et modernité.

Une réunion de travail à Washington, autour de John Kennedy, le tout jeune président des États-Unis, élu en 1961. Ici en compagnie du ministre des Affaires étrangères allemand, M. von Brentano. Une ambiance décontractée et chaleureuse dans le célèbre bureau ovale de la Maison Blanche (page précédente).

Le Foreign Office construit par l'architecte George Gilbert Scott, en 1866. La grandeur habituelle des bureaux du pouvoir est adoucie ici par les fauteuils et le canapé chesterfield en cuir rouge disposé de façon originale contre le bureau (page ci-contre).

John Kennedy Junior, âgé de dix-huit mois, explore de façon inattendue le bureau de son père, en 1962. Les bureaux du pouvoir sont rarement le lieu de l'intimité familiale, mais voici l'exception qui confirme la règle.

La vie d'un ministre ou celle d'un P-DG se ressemblent. Leur décor aussi. Mais le bureau ministériel demeure, tandis que les hommes passent. Les dirigeants, eux, ont plus de liberté pour s'approprier leur bureau. Dans le (très drôle) petit *Guide du futur directeur général*, de J.-L. Chiflet et M. Garagnoux, nous trouvons quelques indications pour reconnaître un bureau officiel. Il ne doit pas y avoir de plantes en plastique, de cartes postales ou d'affiches épinglées au mur. Pas question de bureau à caisson métallique, d'un sol recouvert de linoléum, ou de calendrier des P.T.T. accroché au mur. Et encore moins de planning mural métallique avec des petites pastilles aimentées, de sous-main en plastique et de téléphone Mickey. À proscrire également la calculette avec son énorme rouleau de papier, et les dossiers empilés par terre ou, pire, sur le bureau.

Balzac, dans *Les Employés*, le décrivait ainsi : « Le parquet et la cheminée sont spécialement affectés aux chefs de bureau et de division, ainsi que les armoires, les bureaux et les tables d'acajou, les fauteuils de maroquin rouge ou vert, les divans, les rideaux de soie et autres objets de luxe administratif. » Un siècle et demi plus tard, cette description garde une certaine actualité.

UN ESPACE SYMBOLIQUE

Le pouvoir est le lieu du désir, note Laure Adler, dans son ouvrage, *Les Femmes politiques*, « désir d'être reconnu, besoin dont personne n'est indemne ». Françoise Giroud souligne perfidement : « même les ministres rêvent d'être utiles... » Le rôle dévolu à l'espace de travail est capital. C'est lui qui va signifier : c'est moi, le chef. Et que fait un chef ? Il dirige. Le bureau va être une représentation de l'autorité. Il donne une « apparence » de pouvoir et en devient un des premiers signes de reconnaissance. Isabelle Hebey, architecte d'intérieur, souligne l'importance de cette adéquation entre l'image et la fonction. Mais tout ne doit pas être fait seulement dans le but d'impressionner (ou d'intimider ?) les visiteurs. Le bien-être de l'occupant, la lumière, l'ambiance doivent être étudiés en détail. L'intégration de la technologie (téléphone, micro, téléviseur, etc.) requiert des soins particuliers. L'art de vivre au bureau en découlera.

Quelques-uns, rares il est vrai, renoncent d'emblée à posséder un bureau symbolisant leur fonction. Ils le font savoir et en jouent, assis devant une minuscule table face à la fenêtre dans une pièce sans

Le bureau du ministre des Affaires étrangères au Quai d'Orsay. La table est une copie du bureau de Vergennes, qui fut lui-même ministre des Affaires étrangères sous Louis XVI. L'original se trouve au musée du Louvre. Attribut classique du pouvoir, l'encrier en bronze doré dû à Odiot figure toujours sur le bureau comme au temps de Vergennes.

Vingt-cinq fois ministre et onze fois président du Conseil, Aristide Briand est un habitué des bureaux d'apparat. Assis derrière une table d'époque Louis XV, il pose ici dans son cabinet entouré de ses collaborateurs en 1916. Devant lui, le même encrier qui aujourd'hui orne le bureau du ministre des Affaires étrangères (page ci-contre).

prétention. C'est une façon de dire : ma fonction est tellement évidente qu'il est inutile d'asseoir mon autorité grâce au cadre.

En France, le pouvoir a longtemps été symbolisé par Versailles. La première véritable administration prend naissance, sous Louis XV, dans les ors du château et dans des hôtels particuliers voisins réquisitionnés. À la Révolution, le nouveau pouvoir s'installe à Paris dans la salle du Manège aux Tuileries puis dans la salle des machines où siège la Convention. Le Comité de salut public prend possession, ensuite, du rez-de-chaussée du pavillon de Flore. Puis en 1798, l'Assemblée s'installe de l'autre côté de la Seine dans le Palais-Bourbon. Les hôtels particuliers alentour sont réquisitionnés. Ce quartier reste celui du pouvoir. Avec une exception, en 1848, pour le palais de l'Élysée, affecté au président de la République, sur la rive droite. Enfin en 1882, le palais des Tuileries, partiellement incendié par la Commune, est rasé. Avec lui disparaît un point de repère du pouvoir français.

Ce n'est pas un hasard si les pouvoirs successifs ont été moins soucieux de construire que de s'installer dans les lieux du pouvoir précédent. La Révolution française a pris la suite des châteaux et des hôtels. Le pouvoir y était né, il y est resté. En raison de cette histoire singulière, l'espace de pouvoir français est, par définition, l'hôtel particulier du XVIIIe siècle. Construits sur le même modèle, les bâtiments forment une cour traitée de façon urbaine côté rue. Puis la façade s'adoucit côté jardin.

Les bureaux du pouvoir comportent toujours des espaces de représentation impressionnants à la mesure du luxe aristocratique de l'Ancien Régime. Un hall grandiose au sol carrelé de marbre, avec une monumentale cage d'escalier. La rampe est en fer forgé avec des incrustations dorées, les murs sont couverts de boiseries et de trompe-l'œil imitant le marbre. Un lustre énorme surplombe les escaliers.

Des enfilades vertigineuses de salons, côté jardin, comme côté cour, un espace qui semble perdu ou totalement inadapté à nos coutumes de travail actuelles. Ce vide s'oppose au plein des espaces du travail, succession de pièces minuscules desservies par des corridors, découverts au hasard d'une porte dérobée, et transformés tant bien que mal en bureaux où les dossiers s'entassent.

Comme au XVIIIe siècle, c'est ce « vide », ces espaces apparemment inutiles et peu fonctionnels qui symbolisent encore aujourd'hui le pouvoir et ses fastes. Les volumes se ressemblent donc, comme le décor. Construits à peu près à la même époque, ils obéissent aux mêmes canons. Beaucoup de boiseries blanches et or, des plafonds peints, des

trumeaux au-dessus des portes, du marbre authentique ou en trompe l'œil, des colonnes corinthiennes, des ors patinés ou clinquants, et des pendeloques en cristal. Une immense hauteur sous plafond avec des lustres gigantesques. Une pendule massive sur la cheminée, entourée d'angelots de marbre sommeillants, de vases disproportionnés, ou de voluptueuses cariatides étreignant des chandeliers. Ils servent à recevoir, accueillir des délégations étrangères ou encore à donner des interviews. On y reste peu de temps.

Entrons dans le bureau, qu'on appelle curieusement cabinet de travail. Cabinet évoque quelque chose d'intime et de douillet, vaguement désuet, un peu en contradiction avec la majesté de ces lieux.

Ces bureaux du pouvoir, qu'ils soient occupés par un ministre, un chef de cabinet ou un dirigeant, sont assez semblables au premier coup d'œil. Un espace immense, le vide est l'élément capital qui symbolise la fonction, un bureau forteresse, nu, sans dossiers. Très peu d'éléments de rangement, à peine quelques dessertes ou bibliothèques, simplement des consoles et de fragiles tables en demi-lunes.

Candélabres en bronze doré et pendule Louis XV se retrouvent sur les cheminées de nombreux bureaux officiels. Comme ici dans le salon des portraits, à l'Élysée.

Le bureau du directeur de cabinet au ministère de l'Industrie est la seule pièce de cet hôtel particulier du XVIIIe siècle à avoir gardé son décor d'origine avec ses boiseries rocaille blanc et or, son lustre de cristal et ses miroirs (ci-contre).

En 1988, François Mitterrand décide de rajeunir son bureau de l'Élysée. Le Président, conseillé par son épouse qui avait apprécié les meubles de Pierre Paulin lors d'une exposition, demande au designer de concevoir un ensemble avec pour seule consigne : « Tenez simplement compte de ma charge et des lieux. » Pierre Paulin dessine une table très simple et de petits meubles en amarante (page ci-contre).

Le bureau de l'administrateur général de la Bibliothèque nationale est une véritable petite bibliothèque au sein de la grande, conçue par Henri Labrouste en 1854. Deux tables de travail Louis XV se font face dans un désordre sympathique et inhabituel pour un bureau officiel (page suivante).

THE CANADIAN ENCYCLOPEDIA
THE CANADIAN ENCYCLOPEDIA

BUREAUX OFFICIELS

Le général de Gaulle décrit dans ses *Mémoires de guerre* sa prise de possession de son bureau au ministère de la Défense, l'hôtel de Brienne, le jour de la libération de Paris : « Immédiatement, je suis saisi par l'impression que rien n'est changé à l'intérieur de ces lieux vénérables. [...] J'entre dans le bureau du ministre que M. Paul Reynaud et moi quittâmes ensemble dans la nuit du 10 juin 1940. Pas un meuble, pas une tapisserie, pas un rideau n'ont été déplacés. [...] Rien n'y manque excepté l'État. Il m'appartient de l'y remettre. Aussi m'y suis-je installé. »

Immuables les bureaux officiels ? Le fauteuil a changé, l'éclairage aussi, mais les lustres sont conservés, comme la lampe de bureau avec son abat-jour vert, son piétement doré et ses trois fausses bougies. On a cependant banni la corbeille à papiers.

Le téléphone ou plutôt les téléphones sont encore à cadran. L'inter est un banal poste gris, qui permet d'appeler directement avec trois chiffres la confrérie très fermée des membres du pouvoir politique répertoriée dans un gros cahier orange cartonné. « Les bonnes manières exigent que seuls les titulaires des numéros commençant par un deux (une cinquantaine parmi lesquels les membres du gouvernement) appellent ceux dont les numéros commencent par quatre ou cinq. [...] La hiérarchie ne perd, en France, jamais ses droits », raconte Françoise Giroud dans *La Comédie du pouvoir*.

La vie quotidienne d'un ministre est sensiblement la même que celle d'un dirigeant d'une grande société. Ses faits et gestes sont ponctués par le bruit des pas des huissiers sur le parquet de chêne ou le marbre. La raideur des lieux pèse sur ses activités.

« C'est tellement rigide, tellement clos, que les gens nouveaux qui arrivent, même s'ils veulent changer quelque chose, ne le peuvent pas. Imaginez un ministre qui décide d'entrer dans son ministère et puis de changer les façons de faire et qui déclare qu'on ne va plus faire comme avant, qu'il n'a plus besoin qu'on lui porte sa serviette. La machine est là, terriblement puissante, organisée, avec des gens qui se trouvent à l'intérieur depuis trente ans », écrit Françoise Giroud.

L'emploi du temps, l'étiquette, les conventions, les us et coutumes... tout est codifié. Chacun, du plus modeste huissier au responsable le plus élevé joue parfaitement son rôle, comme dans une pièce de théâtre. Mais ici les interprètes peuvent changer, alors que leur texte est immuable, comme les espaces et le décor.

Page ci-contre : pose rigide du général de Gaulle dans son bureau de Londres devant l'objectif de Cecil Beaton. Un bureau de guerre tapissé de cartes d'état-major.

Également photographié par Cecil Beaton, Winston Churchill, premier ministre avec son éternel cigare, en 1940 (ci-dessus).

Un petit musée privé à la mémoire du général de Gaulle préservé au sein du ministère de la Défense. Décor à l'identique pour cette pièce, occupée par le Général lorsqu'il était chef du gouvernement provisoire. Le bureau Louis XV fut également celui de Clemenceau.

Ces magnifiques bureaux officiels posent avec acuité deux problèmes : celui de l'appropriation et celui de la légitimité. Comment s'approprier un lieu aussi fastueux, comment ne pas se sentir écrasé par la hauteur des 7 m sous plafond et les responsabilités ?

Il est vital, toutefois, de signifier au visiteur, en état de choc devant la grandeur de votre bureau, que ce cadre est le vôtre. Il représente votre fonction, bien sûr, mais c'est aussi Vous.

Votre courage n'ira pas jusqu'à faire des trous dans les magnifiques boiseries en bois du XVIIIe siècle, pour accrocher le tableau que vous aimez. Difficile aussi de scotcher purement et simplement une affiche. Heureusement, ces bureaux sont remplis de consoles, de dessertes et aussi de radiateurs soigneusement empaquetés dans des coffres de bois : les tableaux, les photos dans de charmants cadres dorés seront donc posés sur ces meubles. Ainsi cette photo de planeur, un peu anachronique à côté des lambris sculptés et des quatre saisons de Fragonard dans le bureau de Michel Rocard, lorsqu'il était Premier ministre. Elle trônait sur une somptueuse commode Louis XV, à côté d'un jeu d'échecs et d'une bouteille d'eau minérale (la bouteille d'eau est l'emblème du travail de bureau, à tous les niveaux). Pour Michel Rocard, vélivole confirmé, n'était-ce pas une façon d'affirmer qu'au-delà de sa fonction il est aussi un homme capable de passions ?

Qu'est-ce qui rend les ministres heureux ? s'interroge Françoise Giroud : la dilatation du moi. « Le Je se gonfle, s'enfle, s'étale, se dandine » au milieu de ce cadre et de toute l'intendance qui va avec. Plus les espaces du pouvoir sont vides et difficilement appropriables, plus le moi va se dilater. Le représentant du pouvoir va s'identifier un peu trop fortement avec les lieux qu'il occupe pourtant provisoirement. « Un ministre en était à exiger que les couloirs se vident lorsqu'il les traverse pour quitter le ministère, comme on enlève les voitures sur le passage des cortèges. »

Cette dilatation du moi n'est évidemment pas une exclusivité ministérielle, elle atteint d'autres personnes dans leur vie professionnelle. Cependant les ministres sont nettement plus prisonniers de leur cadre et de leur fonction. Les confidences de certains d'entre eux, quand ils quittent le gouvernement à la suite d'un changement de majorité ou d'un remaniement ministériel, sont éloquentes. Retrouver une vie normale après avoir connu l'« ivresse » du pouvoir n'est pas aisé. Redevenir brutalement un homme ordinaire se traduit immédiatement par un changement : aux ors du pouvoir succède un bureau modeste prêté par un ami pour dépanner.

Grandeur et démesure à l'image du Duce, le bureau de Benito Mussolini évoque la Rome antique avec ses marbres et ses colonnes. Le bureau, bien qu'imposant, semble perdu, près de l'immense cheminée (page ci-contre).

Le Dictateur, premier film parlant de Charlie Chaplin, sort en octobre 1940 aux États-Unis. Les aventures d'un barbier amnésique et du dictateur Hynkel, interprétés tous deux par Charlie Chaplin, sont interdites en France jusqu'en 1945.

Décor glacé et futuriste pour le bureau mis en scène par Fritz Lang dans *Metropolis*, tourné en 1927.

LES PRÉSIDENTS

Un dirigeant qui ressemblerait presque à un chat. Moment de répit, le temps de s'étirer. Un homme visiblement occupé au milieu de ses livres et de ses papiers qui consacre chaque instant de la journée à lutter contre l'envahissement des dossiers.

Image glacée et hautaine du dirigeant. Distinction de la fonction incarnée par William Powell en 1932 dans le film *High Pressure* du réalisateur Mervyn Le Roy. Un costume croisé strict, des cheveux gominés, et un cigare entre les doigts, une caricature à l'américaine du « boss » (page ci-contre).

Les dirigeants d'entreprise classiques ont beaucoup plus de liberté et se trouvent confrontés à un dilemme : le décor du bureau doit-il refléter la personnalité de son occupant ou celle de l'entreprise ?

Deux philosophies sous-jacentes, en fait, bien au-delà du simple décor du bureau. La première, c'est affirmer son existence, devenir l'ambassadeur de soi-même et faire de son bureau une vitrine symbolisant la richesse et la magnificence de cette entreprise hors du commun, dirigée d'une main de maître. À l'aide de placage en bois précieux, de meubles rares, de boiseries délicates et de moquette profonde. La seconde, c'est se considérer au service de l'entreprise et signifier la place du travail avec une certaine austérité, habillée ou non de design, en se créant un lieu fonctionnel et sobre. Le bureau de Gérard Toulemonde-Bochard, dirigeant d'une société d'éditions de tapis et tentures, indique immédiatement le secteur d'activité de l'entreprise par une vaste bibliothèque en chêne cerusé comme les murs et le mobilier, présentant les produits maison.

Le dirigeant, d'emblée, s'octroie une place, il prend possession de son bureau, sans état d'âme. Souvent, il s'empresse de le refaire, pour le marquer de sa griffe. Rapidement, c'est une question vitale. Il doit montrer par là qu'il prend symboliquement possession de l'entreprise, qu'il a bien le pouvoir de décision. Mais il faut jouer serrer. Suivant l'histoire et la culture de l'entreprise, des dépenses excessives seront bien comprises ou au contraire perçues comme une provocation. Selon les cas, il fera appel à un architecte d'intérieur ou demandera simplement quelques conseils à sa femme.

Mais que font les dirigeants ? L'enquête d'Anne Lauvergeon et de Jean-Luc Delpeuch, partis courageusement sur leurs traces, nous donne quelques indications. Un dirigeant, c'est un animal un peu spécial, doué d'une grande résistance physique. Ses journées commencent avant huit heures et se terminent peu avant minuit.

De bureau à bourreau… Ne dit-on pas d'un grand commis de l'État ou d'un chef d'entreprise que c'est un bourreau de travail ? Quand il ne voyage pas, il s'installe derrière son bureau. Il y reste peu, un mi-temps, à peine. D'autant qu'il passe presque tout son temps en réunion… Perpétuellement interrompu par des conversations téléphoniques, ou des collaborateurs qui lui soumettent des dossiers épineux, il arrive à ne pas perdre le fil de sa pensée. C'est à cela qu'on reconnaît un vrai dirigeant ! En effet, sa fonction première est d'être disponible.

Une scène tirée du film *The Fountainhead* (Le Rebelle) de King Vidor en 1949 avec Gary Cooper dans le rôle – romancé – de Frank Lloyd Wright. Les déboires d'un créateur face aux goûts néo-classiques de ses clients. Ici, l'homme d'affaires Wynand interprété par R. Massey. Roark, obstiné et intègre, finira par construire, à son idée, le plus haut gratte-ciel de New York.

Il est l'ambassadeur de sa société et, comme les ministres, les activités de représentation lui prennent un temps fou. Il reçoit. D'où le soin apporté à son cadre de travail.

Le dirigeant officie depuis toujours face aux visiteurs. Ses objets du culte sont un sous-main, un agenda et un stylo. Parfois un élégant parapheur, une belle corbeille à courrier. Et surtout un téléphone. « Appeler New York, pointer les cours de la Bourse, dicter son courrier, noter un rendez-vous... fumer un cigare. Tous gestes qui font la célébration du travail tertiaire », note Pierre Voisin, journaliste. Vision peut-être un peu caricaturale...

Le retour en force ces dernières années des sous-main en cuir intégrés au plan de travail lui rappelle que le bureau est avant tout le lieu de l'écriture. Pourtant, d'après des études, jamais les managers auraient si peu écrit ! Cette activité représente à peine 2 % de leur temps. Ils préfèrent le coin-salon ou la table de réunion. Le téléphone est devenu un véritable prolongement de leur corps : quinze à cinquante communications par jour !

Le dirigeant, comme le ministre, vit un temps morcelé, haché. Il dispose rarement de longues plages de temps pour réfléchir, anticiper, décider. Par opposition, l'espace dans lequel il baigne est ample, immense et sans changement.

Image classique du P-DG. Il a un point commun avec sa secrétaire, il passe à peu près autant de temps qu'elle au téléphone. Il a ôté sa veste. Face à lui, comme pour une confrontation, deux sièges sagement rangés, séparés par un petit guéridon (page ci-contre).

Le bureau directorial de la filature Paul Le Blan à Lille. Ce tableau est peint par Marie-Thérèse Le Vert en 1990. Cette artiste exécute, sur commande, votre pièce préférée (ci-dessus).

Au 160, rue de Piccadilly, à Londres, la Barclay's Bank. Un austère bureau directorial aux panneaux de laque noire, isolé par des vitres sablées. Dans l'angle, un cabinet aux riches incrustations. Ces motifs se retrouvent sur les fauteuils et chaises cannées.

À deux pas de Matignon, le bureau du ministre de la Fonction publique a été refait d'après les décors exécutés par l'architecte Chalgrin vers 1770.

LE POIDS DE LA TRADITION

La querelle des Anciens et des Modernes hante la France depuis longtemps. Dès 1960, dans un article du *Nouvel Observateur*, la journaliste Mariella Righini note : « Tant que le chef de l'État et ses ministres se présenteront à la télévision dans un décor Louis XV, le public acceptera de vivre dans le folklore. Tant que des magazines montreront complaisamment Dalida ou J.-C. Brialy dans leurs intérieurs "anciens", les femmes voudront installer leur petit Versailles chez elles. Ceux qui "osent" vivre avec leur temps sont, en France, une infime minorité, une poignée d'architectes, quelques jeunes, qui pendant deux ou trois ans ont vécu dans un cadre contemporain au pavillon brésilien ou au pavillon suisse de la cité universitaire. Créer un décor contemporain n'est pas facile. »

La politique de conservation des monuments existants, mise en place au siècle dernier, et le goût tenace des classes dominantes pour le mobilier ancien font le reste.

Dans un hôtel particulier ou un immeuble haussmannien, la solution classique et sans risque est, en effet, de conserver ou de choisir un mobilier ancien. Les ministères en sont l'illustration la plus marquante, ainsi que de nombreuses banques.

Le bureau du fondateur du Crédit Lyonnais, Henri Germain, dans son siège rhodanien de 1873, se compose d'un bureau ministre et son fauteuil, de six chaises, d'une bibliothèque et d'un canapé en bois noirci dans une pièce lambrissée de chêne et de sapin. Sur la cheminée de marbre noir, une glace, une pendule et deux lampes. Austère, ce bureau ne reflète pas vraiment ceux des présidents mais plutôt la personnalité originale de cet homme qui ne s'embarrasse pas des modes et coutumes de son milieu.

Petit à petit, les teintes s'éclaircissent, le sol se couvre d'épais tapis à motif, le mobilier est souvent en acajou dans un goût néo-Louis XVI. Puis le style Empire est apprécié pour son image stricte et virile. Enfin, le style Louis XVI fait fureur chez les banquiers, un engouement dû aux aspirations « aristocratiques » des banquiers et à l'influence du temps, l'admiration éperdue de l'impératrice Eugénie pour Marie-Antoinette.

Mais comment faire entrer la technologie d'aujourd'hui dans ce cadre ? Heureusement les ministres n'ont pas l'usage habituellement d'un micro-ordinateur. Certains dirigeants en possèdent un. « Il faut bien vivre avec son temps », avoue celui-ci, « il s'est fait livrer un micro, mais il ne s'en sert jamais », précise sa secrétaire. Presque tous

utilisent des écrans de télévision et des magnétoscopes. Les secrétaires Louis XV sont trop étroits. Au ministère de la Fonction publique, dans l'hôtel de Clermont, la télévision est installée sur une ravissante console demi-lune en bois doré. Au Quai d'Orsay, c'est un meuble résolument high-tech, entouré de deux délicates chaises Louis XV.

Cette tendance « tradition » se reconnaît à son ambiance feutrée, assez intime si le volume n'est pas trop grand, et à ses meubles anciens. On retrouve alors cette impression de densité et de confinement qui caractérisait les bureaux du siècle dernier. Au mur, à la couleur souvent indéfinissable, des gravures vieillottes encadrées de bois doré, aux fenêtres, des voilages mais aussi des doubles rideaux de velours d'un ton un peu passé, beaucoup de meubles, des livres (aux reliures anciennes évidemment) dans une bibliothèque vitrée, de beaux objets de bureau, avec l'inévitable sous-main, et une pendule dorée. Sur le bureau une lampe de facture classique. Ces accessoires de bureau se déclinent dans plusieurs lignes, tradition, romantique, Directoire, Richelieu... Toujours en cuir. Au sol, une moquette d'excellente qualité mais passablement usée. Des dorures patinées par le temps, un certain héritage bourgeois. C'est riche et de bon goût. C'est le bureau préféré des ministres, des chefs de grandes entreprises fondées depuis plus d'un siècle, des dirigeants d'entreprises familiales, etc.

Le fondateur veille sur son arrière-petit-fils. Il trône dans un cadre doré sur le mur. Dans les ministères, c'est la photo du président de la République, encadrée elle aussi, qui joue ce rôle.

C'est l'image de la tradition, de la pérennité des valeurs incarnée de père en fils. L'entreprise est une grande famille. Le changement ne représente donc pas la priorité.

Une visite dans les bureaux alentour suffit pour s'en convaincre. La secrétaire de direction a en général un mobilier contemporain de facture très classique. La modernité est visible chez elle grâce au micro-ordinateur. Les collaborateurs ont parfois des meubles anciens. Ou alors du mobilier moderne aux formes carrées, en métal, datant déjà d'une bonne trentaine d'années. Les armoires sont solides, et inusables, la plupart du temps en métal.

Si les ministères et les entreprises de plus de cent ans d'âge affectionnent la tendance « tradition », les grandes administrations, les entreprises familiales de taille moyenne se sentent nettement plus à l'aise dans la tendance « classique ».

Le bureau du ministre des Affaires étrangères au Quai d'Orsay. Un des seuls bâtiments officiels conçu d'emblée pour sa fonction. Lors de sa première visite, l'empereur Napoléon III, premier occupant du palais de l'Élysée s'exclama : « Mon cher ministre, vous êtes mieux installé que moi ! » Aux lustres de jadis on a ajouté quelques discrets lampadaires halogènes. Autre entorse au décor classique : une télévision (page ci-contre).

Maurice Harold Macmillan est ministre du Logement en 1954 dans le gouvernement de Churchill. À l'opposé des décors fastueux du pouvoir français, ici un cadre simple, sans ostentation. Debout derrière son bureau, il est photographié par Arnold Newman.

LA TENDANCE « CLASSIQUE »

Décoré par Jacques-Émile Ruhlmann en 1929, le bureau de M. Haardt chez Citroën. Sur fond de toile cubo-futuriste, une table de travail aux lignes rigoureuses en chêne traité à l'alcali, et sa lampe assortie. Pour les visiteurs, deux fauteuils confortables adoucissent ce décor volontairement dépouillé.

Un cabinet parisien d'avocats conçu par les architectes Michel Seban et Élisabeth Douillet. L'arrondi de la fenêtre donne le ton. Les courbes de la pièce et des meubles se répondent. De part et d'autre du bureau, des fauteuils de Philippe Starck. Le dessin orthogonal des éclairages intégrés dans le plafond s'oppose à ces lignes (page ci-contre).

Simple et fonctionnel, le mobilier supporte allégrement le poids des ans, et retrouve une nouvelle jeunesse aujourd'hui. Difficile à dater avec précision, il n'est pas Louis XV ou Empire mais de notre siècle. Par le jeu des modes qui remettent à l'honneur le mobilier de la génération précédente, il se retrouve dans l'air du temps. Un mobilier massif, en métal, marron ou noir, des chaises en cuir et métal, des formes carrées et coupantes. Pas de doubles rideaux ici, simplement des voilages. Peu d'objets, un vent de fonctionnalité a soufflé.

Au mur, la photo aérienne de l'usine et une grande tapisserie. Écrasante, comme dans le bureau de M. Haardt, conçu par Ruhlmann, chez Citroën en 1929. L'occupant a eu la bonne idée de la mettre dans son dos. Le visiteur en fait les frais. Paradoxalement, à côté, le bureau semble minuscule. Et la lampe, très haute, tente de rétablir l'équilibre. Cet aménagement reprend les principes que Ruhlmann avait déjà présentés au Salon des artistes décorateurs en 1926. Une table de travail et une bibliothèque dominées par une immense fresque murale qui laisse le visiteur sans voix. Deux confortables fauteuils « Éléphant » et un meuble cave à liqueurs viennent adoucir l'ensemble.

Ce style très classique exalte les valeurs du travail plutôt que celles du pouvoir ou de la tradition. Un décor dépouillé et simple. Pas de souci de décoration mais une certaine mise en scène grâce au volume et à quelques détails : les portes capitonnées de cuir, par exemple.

Jusque dans les années 30, le bureau de direction de l'industriel conserve un style proche du XIXe siècle. Les bureaux ressemblent à des salons-fumoirs, plaisants et engageants. Une atmosphère discrète de club ou de bibliothèque s'en dégage. Des sièges confortables et enveloppants incitent à la conversation et à la relaxation. Au mur, des échantillons de produits, des diplômes et distinctions encadrés. Des bibelots soulignent cette ambiance intime.

Puis l'activité du directeur change. Le capitaine d'industrie est né. Il dirige l'entreprise comme un bateau, prend ses décisions seul et parle fort dans le carré des officiers. Le décor se modifie, les objets disparaissent, le mobilier se fonctionnalise. Et depuis, dans le souci d'éviter le gaspillage, il y a peu de changements. D'autant que le mobilier des années 20 à 40 est franchement inusable. De plus, un bureau arrangé sans prétention peut être perçu comme un atout, c'est la tendance actuelle du management.

LE CHOIX DU CONTEMPORAIN

Le choix d'un mobilier contemporain dans un cadre ancien peut signifier : je ne suis pas dupe de ce décor grandiose. Je n'ai pas peur des fantômes qui hantent ces lieux depuis deux cents ans. Et enfin je ne suis pas l'homme du passé que vous croyez. Je suis capable de vivre avec mon temps, de m'intéresser à notre avant-garde d'artistes et de designers. Mon mobilier le prouve.

Quand il entre rue de Valois dans l'hôtel particulier dessiné par Fontaine, le ministre de la Culture, Jack Lang, demande au designer Sylvain Dubuisson de lui dessiner, en 1990, un bureau. Dans ce cadre classique aux boiseries or, il crée un magnifique bureau de ligne arrondie en bois clair, aux formes audacieuses. Les fauteuils des visiteurs sont Louis XVI.

Le bureau du ministre de l'Éducation nationale, rue de Grenelle, a, lui, hérité d'un bureau dessiné par Andrée Putman, commandé dans un premier temps pour le ministère de la Culture par Jack Lang en 1985. Aux dorures des boiseries répond la sobriété du mobilier. Un bureau en bois blond, en demi-lune avec un sous-main intégré et un piétement arrondi et aérien. Les fauteuils, ici, sont modernes, sans accoudoirs et ronds, en cuir grège à passepoil ivoire. Une table basse formée de deux hémisphères en sycomore et métal bronze.

De nombreux présidents-directeurs généraux adoptent également un mobilier contemporain dans un cadre ancien. Par goût personnel ou tout simplement pour changer d'image et se démarquer des ors du pouvoir. Ils choisissent souvent les valeurs sûres de la modernité, les œuvres de Le Corbusier ou de Charlotte Perriand. Plus rarement, ils font réaliser par des désigners d'aujourd'hui un mobilier spécifique. Il sera alors plus aisé d'y intégrer la technologie d'aujourd'hui. Certains

Un bureau étonnant commandé en 1990 par Jack Lang au designer Sylvain Dubuisson. Un plateau elliptique en acajou ciré, sur une jupe conique qui contraste avec les lignes sages de la pièce. Le sous-main pivote sur un tiroir en demi-cylindre.

Signé Andrée Putman, un bureau destiné à Jack Lang, ministre de la Culture et réalisé en 1983 par le Mobilier national. Aujourd'hui, il se trouve dans le bureau du ministre de l'Éducation nationale. D'une simplicité extrême, une table en demi-lune en sycomore et métal bronze qui s'intègre à merveille dans les intérieurs XVIIIe de l'hôtel de Rochechouart, rue de Grenelle (page ci-contre).

Mélange des genres. Le mobilier Empire du ministre des Finances est passé des lambris du Louvre à l'architecture moderniste de Chemetov à Bercy. Les traditionnelles lampes « ministère » côtoient les luminaires contemporains, le fauteuil directorial en cuir noir fait face aux sièges Empire recouverts de soie verte et or.

Les 1 800 fonctionnaires du ministère de l'Équipement se sont installés dans les bureaux du pilier sud de la Grande Arche à la Défense, majestueux cube de 110 m de haut conçu par l'architecte danois Otto von Spreckelsen. Au trente-quatrième étage, le bureau du ministre décoré par Isabelle Hebey. Tout est blond du sol au plafond jusqu'au mobilier en hêtre maillé. Une rigueur et une sobriété en totale harmonie avec l'architecture (page ci-contre).

dirigeants sont très friands de multiples gadgets qu'ils manipulent avec une grande dextérité : mini-téléviseur intégré au bureau, écran rétractable, ouverture automatique de stores ou de rideaux, interrupteurs et rhéostats pour contrôler la lumière, etc.

Cependant, certains dirigeants peuvent parfois être réfractaires au mobilier contemporain et ne se supporter que dans un environnement ancien. Ainsi, Michel Charasse, lorsqu'il était ministre du Budget, a préféré déménager ses meubles anciens du Louvre dans le tout nouveau ministère des Finances à Bercy, pour atténuer peut-être la modernité de ce cadre. Les fauteuils Empire, le bureau avec l'inévitable lampe à abat-jour vert. Sur une petite table Empire, face à une immense baie vitrée, une machine à écrire. Luminaires modernes, hauteur sous plafond à vous donner le tournis mettent en valeur une immense tapisserie ancienne.

Une architecture moderne et un mobilier contemporain sont une configuration banale pour les entreprises d'aujourd'hui mais un cas rare pour un ministère comme celui de l'Équipement, du Logement et des Transports, dans l'Arche de la Défense. Bureau grandiose (80 m²) au trente-quatrième étage de forme trapézoïdale avec un beau mobilier signé Isabelle Hebey. Le mobilier en caissons à pans coupés en hêtre maillé et piétements ronds chromés est issu de la géométrie du bâtiment. Un « coin-bureau » ou plus exactement un espace bureau et un espace salon avec une table-socle en verre dépoli pour les maquettes d'avion, une énorme télévision, des chauffeuses Le Corbusier et une table basse en verre dépoli. Des couleurs chaudes, murs et portes miel clair, moquette blond clair, des stores en tissu blanc. La photo du président de la République est simplement posée sur un meuble.

Le pouvoir s'exprime-t-il plus facilement dans un cadre ancien que dans une construction contemporaine ? Comme nous l'avons vu, ce n'est pas le cadre qui est important mais le volume et la surface. Avec ou sans moulures, boiseries ou trumeaux, l'espace vide, symbole du pouvoir, reste une constante. On peut le reconstituer n'importe où, à condition de disposer d'un peu de place. Évidemment, dans un lieu ancien, le bureau sera mis en valeur par les espaces avoisinants : la cage d'escalier, les vestibules et le hall. Les bureaux-meubles anciens sont souvent de taille modeste. Était-ce pour essayer de donner un peu d'intimité à l'occupant ? La tendance actuelle à proposer des tables de travail de plus en plus immenses ne voudrait-elle pas contrebalancer un espace de travail qui se réduit au fil du temps ?

A340-200

LES FEMMES DIRIGEANTES

Dans quel cadre va exercer une femme dirigeante ? Peu nombreuses encore aujourd'hui, elles œuvrent la plupart du temps dans le même bureau qu'un P-DG homme.

Si elles attachent moins d'importance aux titres et aux signes du pouvoir, les femmes sont beaucoup plus chatouilleuses sur les compétences. La plupart n'ont pas remis en question la grande table nette et sans dossiers, symbole suprême du pouvoir. Elles s'intéressent peu à leur cadre, et l'idée de le décorer les font frémir. Elles ne sont pas les grillons du foyer de l'entreprise. Éventuellement, des fleurs fraîches coupées remplacent la plante verte, ou encore des compositions de fleurs séchées sophistiquées. Quand elles prennent des distances avec le modèle masculin, c'est par rapport à leur image de mère. Elles hésitent moins à parler de leurs enfants ou à les accueillir dans leur bureau, comme Ségolène Royal, quand elle était ministre de l'Environnement, le mercredi, pour regarder une cassette. Et comme le souligne Francoise Giroud : « Quand vous devez quand même le matin vous occuper de dire ce qu'il y aura à déjeuner, veiller au bon déroulement

La reine Elisabeth II à bord de son avion privé, en plein travail avec l'inévitable tasse de thé. À défaut de posséder votre propre jet, privilège des grands de ce monde, sachez que vous pouvez en louer un pour quelques heures, avec salon, chambre, bureaux... (ci-dessus).

Mme Hanau, la « présidente » de l'illustre *Gazette de France.* Pour la petite histoire, mêlée à un scandale financier, cette dame respectable fit une grève de la faim pendant vingt-quatre jours durant sa détention provisoire. Elle reprend sa place derrière son bureau directorial le 12 juin 1930. Un bouquet de fleurs et un seau à champagne l'attendent pour fêter son retour (ci-dessous).

Le portrait de Jeanne Lanvin dans son bureau de la rue Boissy-d'Anglas peint par Édouard Vuillard en 1935. Quel parcours pour cette grande dame de la couture qui, gamine, sillonnait Paris pour livrer d'immenses cartons à chapeaux ! À vingt-deux ans, elle fonde sa maison de couture en 1889, et crée en quelques années une véritable industrie de luxe (page ci-contre).

Le bureau du recteur de l'académie de Paris au sein de l'université de la Sorbonne. Une table encombrée d'objets personnels, de livres et de dossiers dans le coin, pour le travail solitaire, des espaces plus classiques pour se réunir ou recevoir (ci-dessus).

Le bureau d'Éliane Scali, qui a repris la maison Puiforcat en 1983. Son principal souci a été de perpétuer l'image de cette société et de renouveler la création en faisant appel à des artistes contemporains. Dans une belle pièce en rotonde, un bureau au féminin : des tentures, un paravent jaunes et un bouquet de fleurs (ci-dessous).

de la journée, prévoir ce qui se passera le soir avec les enfants, cela vous protège de beaucoup de choses. Une femme n'est jamais complètement déconnectée du quotidien des choses. » Cela voudrait-il dire que le pouvoir ne peut pas lui monter à la tête ?

Pour Michèle Gendreau-Massalou, recteur de l'académie de Paris, une femme est moins « spontanément hiérarchique » et protège plus, contre les vents et marées du pouvoir, sa vie personnelle. Son cadre de travail est extrêmement important pour elle. Si son bureau, à première vue, est typique d'un lieu du pouvoir avec son espace immense, ses meubles anciens et ses tableaux du XVIIIe siècle, il est bien plus que cela. Un bureau modestement relégué dans un coin, encombré de livres, de dossiers, d'affaires personnelles et de statuettes. Au centre, un espace convivial avec une table ovale pour les réunions. À l'autre extrémité, un lieu plus conventionnel avec un canapé, des sièges et un simple bouquet pour recevoir les personnalités. Un univers très personnel grâce à des objets qu'on ne remarque pas au premier coup d'œil mais qui signent ce bureau.

Pour le réaménagement des bureaux du journal *House and Garden* à Londres, Susan Crewe, sa rédactrice en chef, a fait appel à de jeunes designers. Pour son propre bureau, jusqu'ici sans aucun style, elle souhaitait une ambiance claire et des matériaux naturels. Elle voulait donner une impression forte à ses visiteurs tout en les mettant à l'aise dans un cadre simple. Le designer Jonathan Reed lui a donc proposé un sol en sisal, des stores en bois et des couleurs tout à fait neutres, estimant que ce sont les personnes et les travaux en cours qui apportent des touches de couleur. Un soin particulier a été apporté à la lumière. Des rhéostats permettent de changer l'intensité de l'éclairage, suivant les moments de la journée et les lieux où l'on travaille.

Leur bureau était une immense pièce à vivre de 100 m^2, qui ouvre sur le jardin. Un beau volume blanc avec, au sol, un parquet de bois clair. Deux bureaux identiques dans les angles, pour Maimé Arnodin et Denise Fayolle, les grandes dames du stylisme, fondatrices de Nomad et de Mafia. Au centre, une table ronde signée Alessandro Mendini pour se réunir ou prendre le thé, entourée des fauteuils « Costes » de Starck (page ci-contre).

Pour le bureau du couturier Gianfranco Ferré, le décorateur Christian Benais s'est inspiré des fauteuils Louis XVI, qui ont toujours fait partie du décor de la maison Dior. Un grand paravent gainé de cuir blond couvre les murs. Sur roulettes, il peut être replié lors des séances d'essayage. Sur un guéridon Louis XVI trône un vase Directoire en fonte blanche.

Sans artifice ni cérémonie, le bureau du président du groupe Pinault et de la Compagnie française d'Afrique-Occidentale est tout en bois. Les murs sont lambrissés d'érable, la table signée Marcel Raymond conjugue l'érable moucheté et le sycomore. Sur une colonne, une « Tête » monumentale du sculpteur Kim Hamisky (page ci-contre).

DES BUREAUX POUR VIVRE

L'environnement d'un homme en dit souvent plus que tout ce qu'il veut bien dévoiler lui-même, la façon dont il organise sa journée également. Analyser l'espace dans lequel il évolue, décortiquer son agenda donnent des indications précieuses sur son mode de management.

Les chefs d'entreprise sortent peu à peu de leur isolement. Leur bureau n'est plus systématiquement au dernier étage ou à l'écart. Ils se mettent plus volontiers au milieu de leurs troupes. Le message : je suis un homme comme vous, actif, dynamique et simple, mon cadre de travail vous le montre. Enfin, on rencontre de moins en moins de doubles portes capitonnées de cuir, dont raffolaient nos ancêtres. On n'installe plus aujourd'hui ces systèmes un peu ridicules de feux tricolores à l'entrée, qui, évoquant le train électrique et le garage, faisaient la joie des enfants lorsqu'ils rendaient visite à Papa.

La vraie richesse, surtout dans les grandes métropoles, c'est l'espace. Les bureaux de la société Actimo font rêver n'importe quel salarié : 45 collaborateurs sur 1 500 m². Un vrai luxe, en plein centre de Paris. Tous les espaces sont soignés et décorés. C'est une réalisation prestigieuse à l'image d'un groupe spécialisé dans la rénovation de bureaux de prestige. Le bureau du président est vaste, 50 m², et accueille une collection de peintures contemporaines sur ses murs recouverts de boiseries en bois blond incrustées d'ébène. Son aménagement est classique avec un salon et un espace de travail.

Dans des espaces qui se rétrécissent, les dirigeants aiment avoir néanmoins un bureau imposant, une table de réunion, un coin-salon, un bar, une kitchenette et parfois un cabinet de toilette privé, pratique courante chez leurs homologues anglo-saxons. Un studio d'étudiant en quelque sorte. Comme les étudiants, les P-DG souhaitent pouvoir s'échapper, par le bureau de leur secrétaire, par exemple.

Le bureau de Philippe Villin, lorsqu'il dirigeait *Le Figaro* et *France-Soir* en 1988, en est une illustration, dans la version luxe. Un immense bureau avec une salle d'eau, un bar, une salle de réunions séparée par une cloison vitrée, un vaste coin-salon avec évidemment deux canapés de Le Corbusier, un bureau et une desserte qui accueille onze téléphones et un micro-ordinateur... Un éclairage soigné et indirect, des tableaux accrochés sur des panneaux de chêne.

Les dirigeants sont les mieux placés pour réfléchir sur leurs méthodes de travail et étendre éventuellement leurs conclusions à leur société tout entière. Ceux qui ont fait le pari de cette démarche nous

Le bureau de Gilbert Trigano, avenue Kléber à Paris, dans l'ancien siège du Club Méditerranée. Le décor est signé Alberto Pinto. Un espace de direction classique et très symétrique avec un bureau et une table de réunion à chaque extrémité. Une moquette à petits damiers donne une touche de couleur.

Le bureau d'Alain-Dominique Perrin, président de Cartier International, rue François-Ier à Paris. Un espace lumineux ordonné par un sol-échiquier acajou et blanc, un mobilier d'inspiration Arts déco dans un décor conçu par l'architecte Jean Nouvel en 1988. Sur le bureau, une lampe « Gédéon » de Martine Bedin.

À Barcelone, l'architecte catalan Ricardo Bofill a installé sa maison et son agence dans un ancien silo à grain. Des volumes dépouillés cernés de noir, laissés presque vides, mettent en valeur la courbe des murs et l'ogive des fenêtres. Un mobilier réduit à l'essentiel, d'un côté, des transatlantiques, de l'autre, une longue table entourée de fauteuils Thonet (page ci-contre).

offrent les exemples les plus originaux. Leurs bureaux reflètent un véritable art de vivre qu'ils ont choisi.

Ainsi, la société Avenir Havas Média à Boulogne-Billancourt. Le bureau du directeur général est à l'image de son occupant, Philippe Santini. Il y a bien sûr une table, ovale, en granit et piétements aluminium poli (dessinée par Pascal Mourgue), parce qu'il en faut bien une, mais il ne s'y assoit presque jamais. Une télévision où défilent en permanence des images du monde entier (nous sommes dans un groupe multimédia international), avec des canapés de Le Corbusier. Au mur, des affiches américaines des années 30. Une ambiance très personnelle pour un bureau de taille modeste (30 m^2).

Chez Hermès par exemple, Guy de Brantès, quand il était directeur général adjoint, en 1988, expliquait ainsi ses choix : « Au XVIIIe siècle, on travaillait sur un bureau à cylindre adossé à un mur, et on recevait sur un bureau plat. C'est cette idée que j'ai voulu recréer chez Hermès, en l'adaptant au goût du jour. » Son bureau avait un magnifique plan de travail en merisier le long des murs et une table ronde dessinée par Saarinen avec des sièges de Mies Van der Rohe. « Être assis derrière un bureau a un côté fasciste qui me déplaît, ajoutait-il, la table ronde est conviviale. Et puis, sur cette table, il n'y a rien, ni dossiers, ni éléments personnels qui puissent attirer mon œil et me distraire. Je suis donc tout à l'écoute de mon interlocuteur. »

Jean-Louis Dumas-Hermès, le président, s'est lui aussi aménagé avec l'aide de sa femme, l'architecte Rena Dumas, plusieurs espaces de travail dans ses bureaux de la rue du Faubourg-Saint-Honoré. D'abord un coin totalement privé sur une mezzanine avec des livres et une méridienne Peppa. En bas, il a gardé le bureau classique de son père, et aménagé à côté un lieu pour la création, baptisé « Mimi Pinson », qui comporte une table pliante et des tabourets japonais. « Je ne voulais pas d'un bureau masque », précise-t-il.

« Je voulais un bureau où j'aurais le plaisir à vivre et éventuellement à travailler. Je reçois et j'écoute plus que je ne travaille sur des papiers et je trouvais intéressant de penser un bureau différent », explique Serge Trigano, président du Club Méditerranée. Son bureau est effectivement très original, avec une grande table ronde (dessinée par la société Canal) en poirier moiré et cuir noir au piétement métallique, et des fauteuils identiques (de Mies Van der Rohe). La place de chacun n'est pas induite par les sièges. Les couleurs, bleu, vert céladon, corail évoquent l'activité de l'entreprise. Il en ressort une idée de communication, de simplicité qu'on retrouve dans les autres aménage-

ments de la société. Une cuisine est aménagée à proximité et lui permet de travailler avec ses collaborateurs en grignotant quelques en-cas.

Et parfois, votre bureau ne vous va pas du tout, un peu comme des lunettes mal choisies. Cela saute aux yeux de la personne qui vous rencontre la première fois, et puis elle s'habitue et oublie. Il y a parfois des dissonances troublantes, comme le bureau de ce chef d'entreprise, un ensemble Napoléon III, poussiéreux et suranné, qui évoque le cabinet de travail d'un vieux garçon solitaire. Un petit bureau ancien, parfait pour écrire à sa sœur partie s'installer en Australie, mais qui paraît contradictoire avec son discours sur la performance de l'entreprise et sa nécessaire modernisation.

Quelques sculpteurs ou designers délirent sur le bureau du dirigeant : comme ce bureau en granit, dessiné par Pierre Digan, tailleur de pierre et sculpteur. « Un bureau de poids pour un P-DG volcanique », lit-on dans la revue *Espace bureau*. Une tonne et demie, en effet ! Un plan de travail en granit épais, sculpté pour ménager des renfoncements, un plumier et même le passage des feuilles de listing, repose sur un pilier en granit également et des éléments de rangement en tulipier. Les alimentations électriques sont intégrées. Un bureau surprenant où toutes les fonctions sont pensées. En version plus légère, on peut choisir ce bureau en carton, réplique presque fidèle de l'Arc de triomphe, présenté au Salon des artistes décorateurs en 1985 à Paris.

Transparence et communication pour le centre de formation de Apple à Stockley Park en Angleterre, aménagé par Studios Architecture en 1993. Des salles de réunion vitrées et des espaces de détente soulignés par un parquet clair : une succession réussie de lieux de travail et de convivialité. Partout, les couleurs de la célèbre petite pomme sont déclinées.

Ci-dessous : une salle de conférences au mur rouge. Une cloison sinueuse en pavés de verre isole une autre salle. Parti pris qui évite les traditionnels couloirs. Des matériaux simples, presque ordinaires, pour une architecture différente et ouverte. Pour les locaux d'Apple à New York, les mêmes architectes ont joué, là encore, sur les couleurs (page ci-contre).

SANS SIGNE DE POUVOIR APPARENT

Les managers américains nous montrent peut-être l'exemple, explique Jérôme Galletti dans son ouvrage *Aux lieux du bureau* : le président de la société Mars s'installe sur un plateau paysager, ses directeurs sont disposés en cercle concentrique autour de lui. La communication est instantanée et essentiellement orale. Chez Mac Donald's, aux États-Unis comme en région parisienne, la même formule est appliquée : des bureaux ouverts pour tout le monde, y compris à l'étage de direction. Les cloisons vitrées toute hauteur isolent simplement les salles de réunions.

Dans d'autres sociétés américaines, les directeurs possèdent plusieurs bureaux, un poste fixe près du staff et un poste de passage dans leurs équipes. Ils utilisent de façon plus systématique que les Français les salles de réunions, ce qui leur permet d'avoir des bureaux personnels plus petits. Certains directeurs ont renoncé, paraît-il, à la table de travail et préfèrent un salon-bar avec canapé, le matériel informatique et audiovisuel prenant place sur des dessertes à roulettes. Le directeur de Digital Finlande a trouvé qu'il utilisait vraiment peu son bureau, « à peine deux heures par jour et qu'il gagnait en efficacité à se déplacer dans l'entreprise ». Son poste de travail se résume ainsi à une table haute pour son micro avec une chaise de bar. Il se promène partout avec son téléphone portable.

Le bureau du P-DG français ou américain est le plus souvent un bureau d'angle à l'étage le plus élevé avec la meilleure exposition. Au Japon, ce type de bureau existe également, avec une différence de taille. Il n'est utilisé que pour recevoir des visiteurs importants. C'est en fait un salon qui a l'apparence d'un bureau, raconte le chercheur Edouard Hall, dans son livre *Comprendre les Japonais*. Le reste du temps, les détenteurs du pouvoir travaillent dans des bureaux paysagers, au milieu de leurs collaborateurs. Dans leur culture, le bureau individuel est anormal. Et le dirigeant a d'autres espaces plus privatifs, ailleurs : il a un compte dans un restaurant à côté et reçoit ses visiteurs dans des petits salons privés. Un chef d'entreprise japonais attache peu ou pas d'importance à un bureau somptueux. Par contre, il occupera, le plus souvent, au sein d'un espace ouvert, le bureau le plus éloigné de la porte. La hiérarchie est parfois subtile.

KOOKAI

Le bureau à la maison

Le symbole d'une
certaine liberté.
Avocats, médecins,
architectes, écrivains,
affirment leurs choix
très personnels
entre rigueur
et fantaisie.

Le bureau-bibliothèque de la décoratrice Coralie Halard dans son appartement parisien. Autour d'une grande table laquée rouge, des rappels de couleur sur les coussins et les murs. De confortables fauteuils à oreillettes font face à une bibliothèque qui court du sol au plafond.

Chez le cinéaste italien Franco Zeffirelli à Rome, tout est pensé : une large table à tout faire, un bureau à cylindre pour écrire, des classeurs à rideaux pour le rangement et un coin-conversation. Un grand miroir rectangulaire démultiplie ce décor début du siècle (page ci-contre).

dans la salle d'attente, puis dans son propre salon et enfin dans la chambre des enfants.

Une jeune société qui se crée occupe d'abord le salon puis squatte petit à petit le reste de l'appartement. La photocopieuse est dans la cuisine, les archives dans la chambre conjugale...

Pour les collaborateurs, c'est une entreprise avec une ambiance et un statut particuliers. Le plaisir d'aller se laver les mains dans une vraie salle de bains ou d'entendre le doux bruit d'une machine à laver essorant le linge tout en tapant une lettre. La journée est rythmée par les bruits des enfants qui partent ou qui reviennent de l'école.

Les enfants de la maison font silence quand Papa ou Maman a ses consultations. Ambiance particulière ainsi dans cet appartement où exercent et habitent un couple de psychanalystes. Le salon et une autre pièce font office dans la journée de salles d'attente, car les patients de l'un ou de l'autre ne doivent pas se rencontrer. Les deux bureaux sont isolés par des doubles portes et un silence pesant règne. Le bruit éloigné d'un mixer dans la cuisine fait l'effet d'un véritable marteau-piqueur, attaquant directement la paroi nord de l'inconscient. Est-ce que ces enfants auront besoin, trente ans plus tard, de s'allonger à leur tour sur le divan, pour exprimer enfin le poids du silence de leur enfance ?

Le bureau à la maison complique singulièrement les relations de couple. Promiscuité et manque d'intimité pour l'un comme pour l'autre sont la cause de bien des conflits. Tel juriste, par exemple, vit littéralement dans son bureau, mais n'a pas conscience de négliger femme et enfants puisqu'il est en permanence là, dans la pièce à côté. Celui qui a son bureau à la maison impose à son entourage un mode de vie particulier. Beaucoup d'hommes apprécient ce système qui leur permet, entre deux rendez-vous, de faire une incursion dans la maison. Les femmes trouvent plus difficile d'assurer en permanence la gestion de la maison et celle du travail et choisissent souvent, quand elles le peuvent, d'installer leur cabinet ailleurs.

Et lorsque l'on travaille chez soi, surtout dans le cas d'une profession recevant peu de clientèle, il faut souvent une volonté de fer pour se mettre ou rester au travail. Et résister à la tentation d'aller lire un roman policier dans son lit, de mettre une machine en route entre deux coups de téléphone, ou, si le dossier est vraiment trop ardu, d'aller carrément bricoler au garage. Certains, d'ailleurs, déplorent cette proximité et cette absence de sas, de temps de décompression entre le travail et la vie privée. Ils ont besoin parfois d'établir un savant et compliqué rituel, le matin comme le soir.

Marconi

Eva Jiricna s'est rendue célèbre pour l'aménagement des boutiques du styliste de mode « Joseph ». L'architecte travaille, à la maison, dans un bureau gai, coloré et envahi de verdure. Face à elle, une télévision allumée. Pour réfléchir, une chaise longue avec des oreilles « Mickey» qui prend toutes les formes et toutes les couleurs dessinée par Kita et éditée par Cassina.

Entre deux lampes coniques, un bureau-étagère et sa chaise paillée, laqués de rouge. Sur le dossier, sur la table, partout courent des petits lapins en bronze, clin d'œil du décorateur Philippe Renaud. À la lumière des vitraux, un décor tout de blanc et de rouge qui mélange avec bonheur les petits fauteuils Louis XVI et le bureau aux lignes pures (ci-dessous).

Le studio de Jack Lenor Larsen, grand nom du textile américain dans sa maison de Long Island aux États-Unis. Tranquillité et pureté émanent de ce volume extraordinaire sous les toits. Le bureau est dessiné par Geoffrey Hollington (page ci-contre).

UN DÉCOR TRÈS PERSONNEL

Un bureau de profession libérale, pour Isabelle Hebey, architecte d'intérieur, c'est le contraire d'un bureau courant, fonctionnel que chaque occupant doit pouvoir s'approprier. C'est l'opposé aussi d'un bureau de ministre, qui lui n'est pas conçu pour son occupant mais plutôt pour la fonction qu'il représente. Le bureau doit tenir compte essentiellement de la personnalité de son occupant. Cas rêvé pour les aménageurs, celui qui commande le bureau est celui qui va l'occuper. La demande est donc beaucoup plus personnelle, la fantaisie n'est pas bannie même si on ne peut pas oublier la fonction. Un médecin doit inspirer confiance et sécurité, un avocat aussi, mais ce dernier pourra se laisser aller à une certaine mise en scène, impressionner (et justifier ainsi plus aisément ses honoraires). Un dentiste se doit une propreté et une modernité sans faille, un éclairage « clinique » adéquat. On sera plus tolérant et réceptif à la fantaisie et à la créativité d'un décor de bureau d'architectes, de designers ou de métiers de mode. Le public se fait une certaine idée du cabinet d'un médecin, d'un avocat, d'une étude de notaire, cependant le professionnel n'a peut-être pas envie d'entrer dans le moule attendu. Il faut faire coïncider ces différentes représentations. Faire oublier éventuellement sa jeunesse, le fait de recevoir dans un appartement, donner une image de sérieux et d'opulence mais point trop n'en faut.

Et puis, on peut essayer de se créer un lieu adapté à son métier. Ne pas se polariser seulement sur l'image que l'on peut donner et réfléchir à son confort, à ses désirs et à ses modes de fonctionnement. Ainsi, Claude Parent, architecte, s'est aménagé un bureau classique. Mais derrière un pan de mur, dans un espace à la décoration raffinée, aux murs laqués de noir, une magnifique chaise longue, face à la fenêtre, incite au repos, à la méditation et à l'émergence d'idées.

Ou encore, cet ingénieur a conçu sa salle de réunions comme un salon avec canapés confortables, tables basses et guéridons pour prendre des notes. Un lieu qui se démarque des bureaux et se révèle plus propice aux échanges. Plus classique, cet architecte a installé toute la documentation et les échantillons fréquemment consultés, non pas dans un sombre couloir mais dans une petite pièce agréable. Avec des plans de travail très hauts le long des murs pour choisir tranquillement et ne pas avoir à ranger immédiatement la documentation en cours.

Tano
Tano
Tano
Tano
Tano
Tano

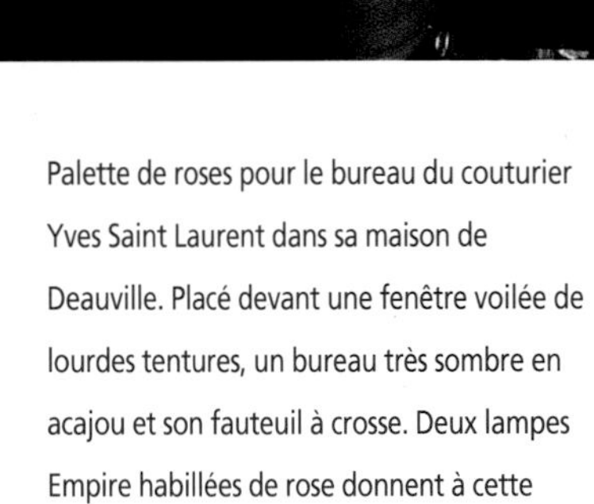

Son bureau de la rue du Faubourg-Saint-Honoré fait salon de thé et salle de réunions. Le couturier Christian Lacroix transforme ses rendez-vous en « restaurez-vous ». On y petit-déjeune, ou déjeune autour d'une table qui ne ressemble pas à un bureau. « J'ai toujours une idée un quart d'heure après avoir bu une tasse de café. C'est comme une décharge et c'est systématique » (page ci-contre).

Palette de roses pour le bureau du couturier Yves Saint Laurent dans sa maison de Deauville. Placé devant une fenêtre voilée de lourdes tentures, un bureau très sombre en acajou et son fauteuil à crosse. Deux lampes Empire habillées de rose donnent à cette pièce une atmosphère feutrée (ci-dessus).

Primitifs, baroques ou barbares, les qualificatifs n'ont pas manqué pour définir les meubles, bijoux ou décors d'Élisabeth Garouste et de Mattia Bonetti. On retrouve ici leur goût immodéré pour les matériaux étranges. Peaux de bête et bronze pour le bureau « Rodéo » de M. et Mme Edelman, dans leur maison suisse (ci-dessous).

Auteur de la théorie de la relativité, le physicien allemand Albert Einstein pose en 1921 dans son bureau, l'année de son prix Nobel. Pas de décor ni de mise en scène dans ce cabinet de travail : juste un mur encombré de livres et de dossiers, une petite lampe de chevet, une ambiance studieuse et tranquille.

« En dépit de la modestie si vantée de mon train de vie, j'ai fait beaucoup de sacrifices pour ma collection d'antiquités grecques, romaines et égyptiennes, et j'ai lu en réalité plus d'ouvrages sur l'archéologie que sur la psychologie », avoue Sigmund Freud dans une lettre au romancier Stefan Zweig le 7 janvier 1931 (page ci-contre).

Ne pas confondre les deux frères Flammarion, Camille l'astronome et Ernest l'éditeur. L'un est déjà célèbre quand l'autre le deviendra quelques années plus tard. Ici, Camille Flammarion, savant génial, ébouriffé et bohème dans son bureau en 1893 (ci-dessous).

Les médecins spécialistes doivent faire face à l'irruption de nouvelles technologies dans leur cabinet. Ordinateur, machines sophistiquées d'exploration médicale, etc. Le stress du patient, déjà considérable, risque d'augmenter si un aménagement adéquat ne vient pas « dédramatiser » ces technologies. Ces spécialistes passent beaucoup de temps dans leur cabinet et son décor rejaillit sur leur moral et leur dynamisme. Le cabinet à la maison leur permet en général de réaliser un cadre confortable où un tableau, des objets choisis avec amour viennent effacer l'impression angoissante occasionnée par ces appareils bizarres et froids. Les dentistes sont confrontés au même problème.

Avec un bureau à la maison, il est plus facile de laisser libre cours à son originalité et d'aller parfois très loin dans la mise en scène. Quelques-uns sont étonnants. Ainsi le bureau de cette consultante, à mi-chemin entre une discothèque et une toile d'araignée. Un bureau grand, sombre, comme les murs et le sol, aux rideaux tirés, avec une faible lumière artificielle qui tombe d'un plafond en caisson laqué. Le plancher est surélevé et au milieu il y a une sorte de piscine avec des canapés, dans une fosse. Le mobilier est très chargé avec des palmiers en cuivre ouvragé. Un bureau-piège, un antre de sorcière où le visiteur abasourdi pense qu'il n'en sortira pas indemne.

Les bureaux des psychanalystes sont marqués par la présence du divan moelleux, au couvre-lit chamarré et aux nombreux coussins comme celui de Freud à Vienne, 19 Bergasse. C'est bien la seule profession qui accueille ce genre de mobilier et qui l'utilise comme outil de travail, dans son bureau. Gravures, peintures au mur, éclairage intime, cela donne une ambiance un peu confinée où reste en suspension dans l'air les fantasmes du client précédent. Dans son bureau de Londres, comme dans celui de Vienne, Freud exposait une collection impressionnante de statuettes, sur son bureau, sur la cheminée, sur une grande table rustique et sur le dessus de vitrines contenant elles aussi des dizaines de statues. Ses patients pouvaient ainsi déduire quelques éléments sur les goûts et le caractère de cet homme si secret. Une passion pour l'archéologie et l'histoire, évidemment, un souci certain du confort, pour lui, comme en témoignent les deux coussins de son fauteuil, mais aussi pour ses patients, avec son divan confortable qui invite à la sieste. Mais aussi, une certaine obsession de l'ordre... Il n'était probablement pas question de déplacer une figurine de quelques centimètres et on imagine Freud la remettre immédiatement en place. Mais que signifiait pour le père de la psychanalyse cette multitude de figures maternelles en permanence sous ses yeux, et qu'il aimait caresser quand il était assis à son bureau ?

Selon les goûts de Napoléon III et de l'impératrice Eugénie, un bureau « fait de tout style » où les bronzes contrastent avec le bois laqué noir.

Un bureau de collectionneur dans une maison de campagne anglaise. Sur le manteau de la cheminée, sur le dessus des bibliothèques, sur le bureau sont alignés photographies de famille, objets, bustes, livres reliés. Pas la moindre place laissée vide. Un espace saturé d'objets personnels méticuleusement ordonnés (page ci-contre).

Homme de lettres, Jules Simon (1814-1896) prend ici la pose, interrompu en plein travail dans un bureau classique de la fin du XIXe siècle. Dans un fouillis tout personnel, une table encombrée, une corbeille à papiers qui demande grâce. À portée de sa main, un étrange guéridon cruciforme à étages.

Une légende tenace veut que les canapés soient interdits dans les cabinets d'avocats. Après enquête, un vieux texte le stipulait en effet. On ne pouvait pas payer son avocat en nature !

Quelques bureaux privés s'inspirent des « bureaux du pouvoir » que nous avons rencontrés au chapitre précédent. Comme dans l'ancien bureau de Bernard Tapie, rue des Saints-Pères à Paris. Le bureau à placage d'érable avec motifs d'ébène et de palissandre du premier quart du XIXe siècle est entouré par des sièges d'époque Directoire d'un très beau modèle signé J.-B. Deray. Pas de dossiers, de micro-ordinateur ou d'armoires de rangement mais un décor impressionnant constitué de bas-reliefs, frises, trumeaux et tableaux. Sur le bureau, deux aigles porte-papiers, des pots à crayons, une boussole et une sphère. Un mimétisme certain avec les bureaux ministériels. La même ambiance un peu raide.

Dans ces espaces privés, on trouve aussi des tables anciennes, et non des bureaux proprement dits, des sous-main de cuir, des bronzes ou biscuits de chaque côté d'un charmant encrier du XVIIIe siècle, au milieu d'une pièce moulurée.

Enfin, quelques-uns ont bizarrement aménagé leur maison comme un bureau ! Une atmosphère grise et noire perceptible dès l'entrée, une immense table en verre, une lampe moderne, des murs nus, aucun signe d'appropriation, aucune touche personnelle, pas de désordre, ni de dossiers. Les crayons sont taillés au cordeau. Architecte, designer ou autre, ils expérimentent chez eux la modernité pure et dure. Mais le visiteur peut avoir l'impression curieuse d'être dans un showroom de fabricant de meubles de bureau.

LORD BANDON

BUREAUX DU SOIR ET DU WEEK-END

Beaucoup de professions se sont aménagé deux lieux de travail, un à l'extérieur et un autre à la maison, celui-ci plus rarement destiné à recevoir des visiteurs.

Ainsi le bureau de cet antiquaire. On y voit des livres d'art partout, des collections d'objets sur chaque surface horizontale. Une jolie petite table de travail surchargée de livres et de poteries. Un bronze, une plante verte, un magnifique coupe-papier. De beaux rideaux anciens à la fenêtre. Une ambiance intime et douillette, un fouillis organisé et pensé. Parfois, la pièce est tellement saturée qu'il est difficile de trouver une place pour accrocher des tableaux. La solution trouvée, ici, est de les suspendre devant les livres alignés. À condition de ne pas consulter souvent ses livres...

Il arrive aussi d'être pris d'un doute devant ces charmantes petites tables croulant sous les piles de livres et les objets. Il n'y a plus de place pour griffonner une carte de visite (même de format commercial), remplir un formulaire de feuille de maladie ou feuilleter un livre d'art. Ces bureaux ne sont-ils pas une mise en scène, une vitrine originale pour exposer ses objets préférés ? Ils participent alors à la décoration de l'ensemble de la pièce.

Maître Bînoche, commissaire-priseur, dans son bureau privé, a pris délibérément le contre-pied : un espace entièrement boisé de chêne clair avec des rangements intégrés et totalement invisibles. Quelques livres, deux ou trois objets, et une immense table de travail, également en chêne clair, dessinée spécialement pour lui, sans accessoires ni lampe ou sous-main.

Christian Duc, designer, s'est aménagé un bureau qui évoque le Japon sans avoir importé aucun objet de là-bas. Une table-cahier « Quaderna », un plan horizontal et deux murets de soutènement recouverts de stratifié blanc avec des joints noirs comme un cahier d'écolier qui tourne le dos à une immense fenêtre voilée d'un store à lamelles blanc. Un fauteuil noir, une lampe au piétement métallique courbe et à l'abat-jour arrondi. Une composition de quatre vases carrés en céramique blanche remplis de plantes ou de fleurs évoquant les bonsaïs. Une corbeille à papiers en métal noir ajouré dessinée par Joseph Hoffmann en 1905. Une ambiance qui incite à la méditation. Un bureau à la fois original et dépersonnalisé, ce n'est pas incompatible, pour qu'on ait envie de s'y installer un matin, pour réfléchir tranquillement, loin du téléphone et des sollicitations extérieures.

Bureau-boudoir dans un intérieur russe. Coincé contre la fenêtre, le bureau croule sous l'accumulation de petits objets. Encombré d'un divan recouvert d'un tapis persan, et d'un chevet où s'empilent les livres, la pièce disparaît sous le décor. Une collection d'icônes, de sujets en porcelaine recouvre les murs (page ci-contre).

L'appartement de Christian Astuguevieille est un véritable cabinet de curiosités où s'entassent les livres et les objets. Plaisir de collectionneur, les statuettes africaines couvrent la cheminée tandis qu'au mur s'alignent de délicats papillons enfermés dans des boîtes en verre. Inspirés de lointaines civilisations, ses meubles lacés de corde trônent tels des totems. Christian Astuguevieille tresse en corde de chanvre ou de coton des objets du quotidien, siège ou vase (ci-dessus et ci-dessous).

Décor haut en couleur pour la maison de Paul Jacquette et Carole Duffrey à Joinville sur les bords de la Marne. Entourés de peintures et de sculptures, ces deux artistes se sont aménagé un bureau dans le style des années 50 : table asymétrique rouge, chaises à haut dossier jaunes sans oublier la curieuse suspension.

Calme et harmonie du mobilier en bois pour le bureau de Relka Maren à Polonetzkoï, près d'Istanbul. Nous sommes ici dans le village des Polonais fondé en 1850 par des réfugiés (page ci-contre).

Un coin-bureau style Arts déco. Charme et simplicité chez Geneviève Lethu, consacrée meilleure femme d'affaires en 1994. Une petite table d'appoint, quelques fauteuils recouverts de cuir et des dessins d'architecture au mur (ci-dessus).

À l'image d'Inès de La Fressange, un bureau tout en élégance. Le vrai luxe se niche dans les détails. Intemporalité des meubles, raffinement des coloris, simplicité du décor qui fait la part belle au délassement, autour d'une tasse de thé.

Quatre Français sur dix ont un bureau à domicile selon une enquête de l'IFOP de 1992, et un sur sept déclare travailler chez lui pour des raisons professionnelles, au moins un jour par semaine. Dans quel endroit de la maison s'installent ces travailleurs occasionnels ? Sur la table de la salle à manger, après le dîner, dans un coin du séjour, sur une petite table face au mur, dans une chambre ou encore dans la cuisine. Pourquoi ne pas suivre l'exemple de cette actrice américaine, passionnée d'art culinaire et qui ne supportait plus de rater un soufflé à cause d'un coup de téléphone inopportun. Elle a installé son espace de travail sur la table ronde de la cuisine.

Pour être assurés de pas être dérangés par des visiteurs, certains l'installent carrément dans leur chambre à coucher. D'autres, plus originaux, investissent des endroits absolument inattendus. Perché sur un escalier, accroché à cheval dans le vide à une mezzanine, ou encore dans leur dressing comme l'architecte Réna Dumas. Il est tout petit, « portable » comme les micro d'aujourd'hui. Avec, en guise de décoration, sur l'embrasure, la collection de petits personnages en terre cuite de la propriétaire des lieux.

Le télétravail paraît être la solution miracle aux problèmes de transport et promis aux mêmes espérances que l'informatique dans les années 70, souligne un article du *Monde*, de mars 1994. Le travail à domicile n'est pas une nouveauté, mais le travail sur un écran, connecté à un réseau, est assez récent. Il n'est ni coûteux ni difficile à mettre en place techniquement. Et pourtant, il ne fait pas vraiment recette. Il concerne, actuellement en France, à peine 20 000 personnes. Les autres redoutent de prendre seules en charge la maîtrise de leur temps et craignent l'isolement.

La société d'assurances Axa lance cette initiative en 1981, mais elle

Le journaliste et écrivain britannique M. Flower dans sa villa de Toscane où il réside. Un « bureau de piscine » qui ferait rêver n'importe quel employé de bureau. Un petit coin de paradis. À l'abri des arcades de pierres sèches, une simple table posée au bord de l'eau.

ne fait pas tache d'huile. Les femmes qui y sont favorables adoptent massivement le mercredi. Les enfants et le télétravail sont liés indiscutablement, mais au prix de quelles pirouettes !

Premier problème : où s'installer ? Les appartements ne sont pas toujours assez grands. Les unes élisent la chambre des enfants, les autres le séjour, certaines se réfugient dans leur chambre.

Deuxième problème : la discipline de fer que cela demande. Les proches considèrent souvent que si maman est à la maison, c'est qu'elle ne travaille pas. Pour celles qui choisissent cette solution, il faut pouvoir se mettre au travail tout en résistant aux sollicitations extérieures. Certaines attaquent dès le mardi soir afin de se consacrer aux enfants le mercredi. Sur 600 personnes d'une direction régionale, seules 40 ont opté pour cette organisation. La plupart préfèrent maintenir la coupure entre vie privée et vie professionnelle et se montrent très attachées à la vie sociale de bureau. L'isolement devant le micro-ordinateur est redouté. « Deux jours en dehors de l'entreprise, c'est trop, estime l'une d'elle, j'ai besoin de sortir de chez moi, j'ai besoin de la vie de bureau, j'ai du plaisir à venir. »

Les bureaux peuvent se nicher dans les endroits les plus insolites. Ici, un bureau dans un grenier. Sous les combles, la table – un simple plateau – vient se caler dans l'étroite charpente. Un mobilier réduit à l'essentiel qui semble faire partie du lieu. Une petite tour d'ivoire (page ci-contre).

Retour à la nature pour Philippe Starck. À l'orée de la forêt de Rambouillet, sur le perron de sa maison « coloniale » toute en bois et verre qu'il a dessinée pour les Trois Suisses, séance de travail pour le designer penché sur une petite table d'architecte. Installation de fortune pour un bureau de plein air.

RAOUL DUFY

LE BUREAU DE L'ÉCRIVAIN

Les écrivains pratiquent leur art chez eux. Ils exercent depuis toujours une véritable fascination sur les travailleurs ordinaires, peut-être parce qu'ils sont l'opposé du bureaucrate moyen. Pas de patron sur le dos, pas de paperasserie inutile à assurer, peu d'interruptions intempestives dues au téléphone. Pas de dossier urgent à préparer pour le soir même. Juste un travail de création et d'imagination leur apportant gloire et reconnaissance. L'envers du travail ordinaire.

L'univers des écrivains est étrange et riche. On imagine un antre, une caverne, une tanière, beaucoup de souffrance et de solitude. Une odeur de renfermé, de tabac froid. Un cadavre de bouteille de whisky. Un lieu secret, où les visiteurs ne sont pas admis, ou alors trop tard, après la mort de l'auteur, lorsqu'il est enfin devenu célèbre.

Le bureau peut être tout et n'importe quoi, les auteurs et les artistes nous le prouvent, en utilisant indifféremment leurs genoux, le tapis, la table de la cuisine ou leur lit.

Pourtant la plupart ont un bureau. « Vous savez, même un jeune homme, il essaie d'avoir un bureau, c'est un des premiers actes de l'existence », souligne Pierre Schaeffer. Un bureau, c'est-à-dire une table avec une chaise, et presque toujours une machine à écrire. Ce n'est plus la Remington, mais une élégante machine à écrire portable, qui parfois « tressaute comme une grenouille ». Et maintenant un micro-ordinateur. Deux écoles s'opposent à ce sujet : celle de l'écrivain, pur et dur, qui manie uniquement le papier et le crayon et tape peu ou pas du tout et celle de l'écrivain qui entretient un rapport étroit et affectueux avec sa machine et tape souvent « directement ». « Moi, je tape à la machine pour des raisons de propreté, de moralité et d'hygiène », dit Pierre Schaeffer.

Si François Nourissier se déplace à toute vitesse sur sa confortable chaise à roulettes le long de sa grande table, d'autres ont un mépris étonnant pour leurs sièges, inconfortables et malcommodes. Il y a rarement une chaise pour les visiteurs, c'est un bureau de solitaire. Ils n'y reçoivent pas ou peu. Le bureau est secondaire à la création. Quand l'écrivain a réussi à produire sans trop de souffrances un livre, il devient superstitieux et essaye de renouveler l'expérience, dans le même cadre avec les mêmes ustensiles. Retrouver, coûte que coûte, cet état de grâce. Cela explique peut-être l'attachement presque maladif de quelques-uns à leurs fournitures. S'ils perdent leur crayon habituel, ou sont à cours de leur papier préféré, c'est le désastre et la panne

Austérité et solitude pour le bureau de Francois Mauriac, écrivain et journaliste. L'auteur du *Nœud de vipères* et du *Baiser au lépreux*, prix Nobel de littérature en 1952, ne s'entoure pas d'un univers très personnel. Un cabinet de travail avec une simple table Louis XVI.

Au milieu des livres et des papiers, Marguerite Yourcenar écrivait face à son amie Grâce, dans leur maison de Petite Plaisance. « Les murs d'une maison, c'est presque un recueil de souvenirs. Des documents sur ce qu'on fait. » Toutes deux travaillaient, entourées de reproductions d'Hadrien. Sur leur table, deux lampes aux abat-jour de parchemin sur lesquels Marguerite avait calligraphié des inscriptions en grec ancien.

Près de Toula, à Iasnaïa Poliana, la pièce de travail de l'écrivain russe L. N. Tolstoï. Curieusement, la petite chaise n'était pas destinée à l'un de ses treize enfants mais à l'auteur de *Guerre et Paix* (1869). Heureux stratagème pour ce myope qui avait trouvé là un remède à son mal, supportant difficilement ses lunettes.

Le critique d'art et poète Guillaume Apollinaire quitte sa maison d'Auteuil où il vécut avec l'artiste Marie Laurencin pour s'intaller en 1913 dans un appartement boulevard Saint-Germain à Paris. Sous les toits, il s'aménage un lieu de repli, modeste avec une simple table et quelques livres.

Portrait d'Alphonse Daudet à sa table de travail. Tout semble démesurément grand pour l'auteur du *Petit Chose* (1868). Pour atteindre sa table, Alphonse Daudet s'assoit sur un épais registre. Un écrivain trop souvent relégué au rayon enfants des librairies qui a pourtant connu une grande notoriété de son vivant (page ci-contre).

Jean Giono est né à Manosque en 1895. Il y reste fidèle, dans une maison modeste, et la quitte à contrecœur pour de courts voyages à Paris, « ce triste enfer obligatoire ». Sous les toits, son bureau où il écrit à la main sur de simples cahiers à spirales. Sur la table, un dernier manuscrit en attente et ses objets fétiches.

d'inspiration. Ainsi Georges Simenon a joué devant la caméra « son scénario » pour écrire, toujours le même, d'ouvrage en ouvrage : louer une chambre d'hôtel, installer une table dans une salle de bains sans fenêtre, poser dessus sa machine, son papier, ses crayons et ses pipes... Pourquoi changer une équipe qui gagne ?

Sur leur table, le plus souvent, c'est le désordre. Les écrivains détestent les tâches de secrétariat, ils passent déjà tellement de temps devant leur clavier. Lettres en souffrance, papiers administratifs, pile de documentations, dictionnaires, agenda, etc. Feuillets écrits les jours précédents, feuillets du jour, etc., tout s'entasse sur le bureau. Certains, quand le fouillis est trop important, changent de tables et de pièces... Comme Jean Cocteau : « Je suis noyé, chassé par le désordre. Il avance dans la chambre que j'habite comme une invasion barbare. » Il quittera son appartement et aimera les chambres d'hôtel – « chose abstraite et merveilleuse » – où il s'éloigne des « murs de la rue d'Anjou [qui] me regardent et me dévorent ».

Le bureau de Jean Cocteau dans sa maison de Milly-la-Fôret où il s'installe en 1947. Sur une petite table à dessin, des piles de livres et de carnets. Au mur sur un fond « panthère », un pêle-mêle de photos, dessins griffonnés et de lettres. Souvenirs et portraits d'amis intimes où l'on reconnaît Picasso, Jean Marais et Colette (page ci-contre).

ORPHÉE
43A11
MA DOUDOU
NEW

Cabinet de travail de Karl May dans sa villa de Radebeul. Un véritable tableau de chasse. Confortablement assis sur un tapis d'Orient qui fait office de banquette, l'écrivain allemand est entouré de ses trophées, un magnifique lion et une tête de cerf empaillés, des peaux de bêtes à même le sol et un arsenal de sabres et de fusils accroché aux murs (ci-dessus).

Romancier, journaliste, homme politique, député et académicien : Maurice Barrès, l'auteur de *Du sang, de la volupté et de la mort* est ici assis à sa table de travail. Derrière lui, encadrés dans des panneaux lambrissés, des détails de la *Création* de Michel-Ange (page ci-contre).

choses froides ». Pour Jean Vautrin, c'est un bureau de Ruhlmann, « un meuble rationnel avec des tas de tiroirs. Et sur le plateau il y a une plaque de verre sous laquelle je glisse des photographies ». D'écrivains bien sûr. Si la plupart se contentent d'une planche avec des tréteaux, certains ne supportent que le mobilier de style Napoléon III. Plus surprenant, celui-ci écrit sur une toile cirée. Ils entretiennent tous un rapport privilégié avec leur bureau. « Ma table de travail et moi, nous menons une vie conjugale exemplaire. Jamais d'histoire entre nous, elle supporte tout », confie l'un d'entre eux. Paul Valéry disait : « Me séparer de ma table de travail, c'est me séparer de moi-même. » Et pendant cinquante ans, il est parti, tous les matins, dans « la solitude de l'aube », à « la chasse aux idées ».

La table n'est pas n'importe où dans l'appartement. Les écrivains affectionnent les greniers (leur tour d'ivoire ?), les pièces reculées. Ils placent la table face au mur, se méfient des rêveries occasionnées par les oiseaux, les arbres ou la rue. Lawrence Durrell s'installe en 1965 dans une maison à Sommières. Son bureau est une banale table de cuisine du début du siècle, peinte en blanc, installée dans la véranda, face au mur. Il ne veut pas être distrait par le paysage. Pour compagnie, un bouquet de fleurs, quelques feuilles et une machine à écrire portable sur laquelle il tape « frénétiquement ».

RIGUEUR OU FANTAISIE

L'écrivain est confronté au même problème que n'importe quel employé de bureau : tous les prétextes sont bons pour ne pas travailler. Se déplacer à la cuisine pour se faire une tasse de café demande simplement un peu plus de temps que d'aller au distributeur à café. Il a de nombreuses distractions mais moins d'occasions de rencontres qu'en entreprise.

Autre parenté avec l'employé de bureau, le rituel qui entoure le travail. Le leur est plus fantaisiste et moins avouable. Mais ils sont souvent aussi routiniers que les gens du tertiaire. Ils ne peuvent travailler que de telle heure à telle heure, dans le calme le plus total, ou au contraire dans un océan de bruit. La plupart écrivent le matin, de bonne heure. Le travail de nuit tend à devenir une légende. Même si certains ferment les volets et ne travaillent qu'à la lumière artificielle. Le samedi et le dimanche, ils font relâche, comme nous. Leur particularité réside dans leur rythme de travail. Certains ont besoin de se for-

Gabriele D'Annunzio conçoit avec l'aide d'un jeune architecte, G. C. Maroni, la restauration de sa villa Cargnacco en Italie. À partir de 1922, il restaure, modifie, bâtit et la transforme peu à peu en véritable musée. Il passe des nuits entières dans sa pièce de travail encombrée de livres, de documents et de moulages de plâtre.

Colette, « cette femme vivante, cette femme pour tout de bon qui a osé être naturelle », fut aussi actrice, mime et danseuse. Elle est photographiée ici par Herbert List en 1949. À la fin de sa vie, diminuée par une paralysie qui l'oblige à garder le lit, devenue une sorte de « radeau », comme elle se plaisait à le dire, Colette continue à écrire.

Écrivain et directeur de la collection « le Promeneur », Patrick Mauriès est un amoureux des livres. Indispensables à son art, il les entasse, les accumule jusqu'à reconstituer une véritable bibliothèque dans son appartement (page ci-contre). À ses moments perdus, il les feuillette, les regarde. Mais pour éviter toute distraction, c'est côté cuisine qu'il s'enferme pour écrire (ci-dessus).

Un bureau « années 30 » chez le styliste de mode Alberto Lattuada dans son appartement de Milan. Grand collectionneur, il a rassemblé ici quelques objets et meubles qui lui sont chers (ci-dessous).

ger un véritable emploi du temps de fonctionnaire ; d'autres préfèrent les horaires et les vacances scolaires. Quelques-uns laissent libre cours à leur inspiration et travaillent douze ou vingt-quatre heures d'affilée puis ne font rien le lendemain. Et tous envient l'ordre et la rigueur d'un Le Clézio capable d'écrire un manuscrit d'un seul jet, dans l'ordre et pratiquement sans corrections.

Pierre Bourgeade raconte sa visite chez Michel Foucault. « J'ai été très impressionné parce que, sur une longue table de bois, il y avait un manuscrit, visiblement en cours d'écriture... On voyait très bien que Foucault en était à la page 382 par exemple... Les pages étaient en tas parfaitement disposées... J'ai éprouvé un sentiment de honte... Je me disais, s'il savait comment j'écris, moi ! »

Leur originalité s'exprime dans leurs vêtements. Voilà de quoi faire rêver l'employé de bureau habituel. Difficile de s'imaginer arpenter les couloirs d'une entreprise ordinaire, en short, couvert de châles, en robe de chambre ou encore en pyjama Babygro avec de gros chaussons de laine, comme Yves Navarre. La plupart sont assez débraillés, en chaussettes ou pieds nus, sauf Angelo Rinaldi qui affirme que, pour écrire, il garde sa cravate, « par respect pour la grammaire ».

D'autres aiment la position assise mais pas devant une table. « Je n'aime pas savoir que je suis là, écrivant, ça m'impressionne », explique l'une d'entre eux. « Si je m'assois à une table pour écrire, si je me dis que je vais écrire, je suis paralysée. » Ils rusent en s'inventant des systèmes ingénieux : une planche peinte en rouge avec un rebord pour empêcher les crayons de glisser, et des pinces pour tenir les feuilles, posée sur un transatlantique, en équilibre sur les accoudoirs ou sur les repose-pieds, par exemple.

C'est fou le nombre d'écrivains qui écrivent couchés. Ils y sont contraints, la plupart du temps, par une santé défaillante, comme Colette ou Proust. Ce dernier ne sortait quasiment pas de sa chambre. *À la recherche du temps perdu* s'ouvre sur sa chambre de Cambray et se termine sur une autre chambre, celle du temps retrouvé. Il écrivait, volets clos, doubles fenêtres fermées, et grands rideaux bleus tirés. L'unique source de lumière, une petite lampe de chevet à l'abat-jour vert. De gros cahiers cartonnés et, sur une petite table en palissandre à abattants, ses porte-plumes, ses plumes et son encrier. Très frileux, il craignait cependant le chauffage à cause de ses crises d'asthme, et préférait écrire et recevoir ses visiteurs emmitouflé de pelisses à col de loutre et doublées de vison. Anna de Noailles ne quittait pas non plus son lit. Son écritoire : un grand livre plat de « vieilles chansons pour

les cœurs sensibles ». Elle ne supportait pas le bruit de la maison et sa chambre était capitonnée de liège recouvert de tissu de cretonne.

Comme le fait remarquer Marie Cardinal, le lit est le seul lieu véritablement privé, respecté par l'entourage, et surtout par les enfants. La table de la cuisine ou du séjour, il faut d'abord la débarrasser. Tandis que son lit est toujours disponible. Pour elle, « ce n'est pas allongée sur le lit, c'est couchée avec des couvertures, des oreillers ». Elle y tape aussi à la machine. La plupart se contentent d'un divan.

Quelques auteurs aiment l'inconfort, comme François Weyergans, qui ne supporte pas d'écrire dans un appartement où il y a de la moquette. Parfois il s'assoit sur quatre annuaires de téléphone et pose la machine devant lui sur une chaise. Celui-ci écrit à plat ventre sur le tapis et s'interrompt régulièrement pour faire des réussites. Que se passerait-il si les employés de banque en faisaient autant ?

Ils ont tous une relation très forte à leur espace environnant. Les uns ne peuvent écrire qu'au même endroit. Un autre reconnaît d'emblée les pièces dans lesquelles il ne pourra pas écrire, trop proches de son entourage. Beaucoup recherchent l'isolement et s'aménagent des cabanes au fond du jardin. Ainsi, le cabanon de Bernard Shaw est un modèle de simplicité, de confort et d'ingéniosité. Un bureau, une machine Remington portable, un réveil pour ne pas oublier l'heure du déjeuner. Enfin, pour profiter du soleil matinal à n'importe quelle période de l'année, il pouvait faire tourner la totalité de son plancher, comme un manège, et suivre ainsi la course du soleil. À en croire sa secrétaire, ce mécanisme était rarement utilisé. Le poids du bureau et des livres sans doute.

Intrusion dans l'intimité de l'écrivain Georges Duhamel. Il est photographié ici par Cartier-Bresson dans sa maison de Valmondois. Sur sa table de travail en désordre, une facture de charbon à payer, une pince à linge, symboles des mille petits détails de la vie quotidienne. Toute sa vie, il a voulu être « un ami, aider à vivre, à souffrir et à guérir ».

Un instantané de Gisèle Freund, en 1962. Jean-Paul Sartre et Simone de Beauvoir dans leur appartement du boulevard Raspail à Paris. Des allures de chambre d'étudiant pour ce couple d'écrivains qui affectionnait les lieux de passage, hôtels ou cafés. Un endroit anonyme, aménagé à la va-vite, sans souci de décor. Un mobilier de circonstance : une table, une chaise, un encrier et les célèbres « Boyards » (page ci-contre).

Jefferson, Churchill, Hemingway, Victor Hugo travaillaient debout devant une écritoire, comme Henri Troyat aujourd'hui. Churchill a dessiné lui-même son écritoire en s'inspirant de celle de Disraeli. Un système ingénieux avec un lutrin très large pour écrire, des étagères basses et une planche haute pour les livres. Virginia Woolf, dans sa jeunesse, écrivait debout sur une table d'architecte, avec une plume qu'elle trempait dans de l'encre verte. Mais ce courant reste assez marginal. François Nourissier se demande, avec humour, si le choix de cette posture révèle chez l'écrivain une idolâtrie hugolienne, un tassement de vertèbres ou encore des crises d'hémorroïdes.

L'écrivain en chambre d'hôtel est une espèce en voie de disparition mais heureusement toutes les légendes ne sont pas complètement mortes. Et il y a encore des écrivains qui écrivent dans les cafés, comme Nathalie Sarraute, ou qui noircissent frénétiquement des petits carnets qui ne les quittent jamais dans la rue, les squares, le métro. Jean Cocteau se retrouve à écrire dans le train sur le carnet d'adresses de Jean Marais, en l'absence de la moindre feuille de papier : « Il m'arrive des bouffées de texte, si je ne m'en débarrasse pas, je ne pourrais pas écrire ensuite. »

Marguerite Yourcenar n'écrit pas pendant une dizaine d'années. Elle est alors professeur de français aux États-Unis. En 1949, elle reçoit une vieille malle oubliée en Suisse qui contient un premier manuscrit d'Hadrien, qu'elle avait interrompu douze ans plus tôt. Elle prend le train pour Santa Fe et reprend son manuscrit. Pendant deux jours elle écrit de façon quasi compulsive dans le train, elle continue dans son hôtel puis dans le train de retour. Elle a toujours souligné qu'elle n'était pas un écrivain en chambre et que chacun de ses livres, fût-il écrit « un pied dans l'érudition l'autre dans la magie », pouvait être écrit n'importe où, rapporte Josyane Savignaud dans sa biographie.

Une bonne partie de la mythologie de l'écrivain risque de disparaître avec le micro-ordinateur. Tapoter sur son ordinateur, cela donne à n'importe quel auteur un petit côté secrétaire de direction... et cela vous coince à proximité d'une prise électrique. Sauf si vous investissez dans un portable, mais alors vous devez assumer l'image du cadre supérieur aux dents longues, toujours entre deux avions... Dans quelques années, y aura-t-il encore des écrivains irréductibles au papier et au crayon, et donc à la corbeille à papiers ? Dans les entreprises, l'odeur du crayon fraîchement taillé tend à disparaître, supplantée par l'odeur de plastique chaud du micro-ordinateur. La corbeille risque de passer à la trappe également et de devenir la corbeille virtuelle symbolisée en bas à droite de l'écran...

Françoise Sagan en pleine séance d'écriture. L'auteur de *Bonjour tristesse* peut travailler n'importe où, à l'hôtel, ou chez elle sur un coin de table. Qu'importe le décor, les yeux rivés sur sa machine portable, absorbée par son travail, Françoise Sagan s'entoure du minimum.

Le bureau de Winston Churchill, dans sa maison du Kent. Un buste de Napoléon en biscuit de Sèvres par Antoine-Denis Chaudet, de nombreuses photos, une boîte en argent, des lunettes, une agrafeuse, il reste à peine la place pour écrire sur ce bureau très personnel (page ci-contre).

NELSON

Le bureau de demain

....

Un micro-ordinateur
de la taille d'un livre,
un téléphone cellulaire,
et l'entreprise devient
virtuelle. Le bureau
va-t-il disparaître ?

Depuis une vingtaine d'années, le micro-ordinateur a complètement révolutionné le travail. Présent quasiment partout, il en est devenu le symbole. Ici, dans les alvéoles aménagés au milieu des couloirs du ministère des Finances à Bercy, le petit écran à la lueur jaune veille (page précédente).

Le bureau n'est pas toujours un endroit propice au travail, comme le montrent études et entretiens. Les interruptions sont trop nombreuses, le temps haché, fractionné. Les idées et la concentration sont plus faciles ailleurs, dans sa voiture ou dans son bain.

Le bureau-lieu du travail serait-il devenu un temps de pause dans un monde difficile ? Dans les grandes villes surtout où les transports représentent un temps fou. Chaque jour à Paris, l'équivalent de la population de Nantes (234 000 personnes) se rend au-delà du périphérique. Les Parisiens croisent l'équivalent de la population de Marseille (925 000 banlieusards) et l'équivalent de celle de Rouen (100 000 provinciaux) qui viennent travailler à Paris. Des chiffres ahurissants puisés dans une étude sur les déplacements domicile-travail... Ce qui fait dire à un consultant : pour ces personnes qui ont deux à trois heures de transport par jour, le fait d'arriver chaque matin à l'heure représente un tel effort qu'il ne faut pas trop leur en demander ensuite. La journée est déjà finie, ou presque ! Les échanges sont limités à des informations sur les horaires de train, les grèves ou les embouteillages... Le coût, en temps, en énergie mentale et physique, en argent de ces déplacements est parfaitement connu mais

La célèbre firme Digital Equipement en Finlande aménagée dans sa version « classique » : des tables, des chaises, des ordinateurs installés en épis autour de rangements tournants. Les téléphones sont portables. Condition préliminaire et indispensable à la mobilité de chacun. On s'installe n'importe où.

n'est jamais pris en considération. Et puis, cette tendance forte à s'accrocher à son bureau, même au prix de milliers d'heures de trajet, se renforce dans une période d'incertitudes, de crise et de chômage.

Et pourtant le partage du travail est une préoccupation majeure ces dernières années. 77 % des femmes y sont favorables, selon un sondage CSA de 1994, et 66 % au temps partiel. Partager le travail a pour corollaire le partage du bureau.

Aujourd'hui on cherche néanmoins des solutions pour diminuer le nombre de bureaux. On s'intéresse à la « flexibilité ». Elle commence avec l'invention des meubles sur roulettes qui permettent de déplacer les tâches d'une pièce à l'autre. Mais ces meubles n'ont pas été de taille à lutter contre le mouvement de fond qui incite l'individu à rester rivé à son poste de travail. Il reste des acquis sur lesquels personne ne compte revenir : une place assise, un téléphone. La formule « une personne = une pièce » paraît périmée. Maintenant on revient à la notion de flexibilité pour les espaces, comme pour les personnes. Et on s'interroge.

Avec la crise, les besoins immobiliers des entreprises évoluent. Les sociétés qui déménagent le font dans un souci d'économie et de meilleure gestion de leurs mètres carrés. Elles cherchent des solutions pour utiliser moins de surface. Physiquement, cela se traduit, bien souvent, par un retour au petit plateau paysager très dense, avec toutes les nuisances que l'on connaît.

BUREAUX PARTAGÉS

Heureusement, des solutions plus innovantes sont expérimentées ici et là. En voici quelques-unes comme le poste non attribué ou le partage de bureaux. Elles correspondent à une tendance bien précise : économiser des mètres carrés en proposant des espaces banalisés et pratiques. Mais aussi favoriser l'interchangeabilité des personnes, éviter la sédentarisation, et imposer finalement une autre manière de travailler. C'est peut-être la dernière étape avant le « bureau virtuel ».

Le directeur d'une société de consultants va encore plus loin : « Quand je vois quelqu'un qui reconstitue son appartement dans son bureau avec les photos et les dessins de ses enfants, je me dis que s'il ne peut pas vivre huit heures par jour sans la photo de ses gosses, c'est grave. Pour moi, le bureau doit être un lieu d'échanges et de communications entre collègues, pas une juxtaposition d'individus dans un décor appartenant à la vie privée. »

Pour partager l'espace de travail, on a donc inventé le « poste non attribué ». Encore peu développé dans les entreprises, il a déjà un surnom : le Sans Bureau Fixe ou SBF, faisant ainsi référence aux personnes sans domicile fixe, les SDF. C'est un petit bureau en général fermé, équipé du dernier cri de la technologie, qu'on réserve comme une chambre d'hôtel à l'heure ou à la journée. On s'y installe à son tour avec son petit caisson à roulettes d'affaires personnelles. On le laisse dans l'état où on aimerait le retrouver.

Le parc immobilier de Digital Equipement est de 125 000 m² en 1994 et représente le tiers de ses frais généraux. L'idée est de réduire ce coût de 30 % sur deux ans grâce à des postes non attribués. Chaque salarié s'installe n'importe où avec son portable et son Be-bop. Chez IBM, même démarche. Chaque salarié conserve un espace de travail, mais pas « son bureau ». L'idée est de « s'affranchir du temps et de l'espace de travail » pour ses 5 000 « nomades » (60 % de l'effectif total). Des espaces banalisés, inappropriables, où l'on ne fait que passer avec juste un code d'accès personnel pour se connecter.

Il en existe une variante, expérimentée chez Bossard Consultants qui compte huit cents salariés : plus de bureaux du tout, ou presque, puisqu'ici l'aménagement se réduit à de simples tables, des chaises, et des prises électriques pour les micro-ordinateurs portables. Le premier arrivé s'installe là où il le souhaite. Pas question, le soir, d'oublier son stylo ou un dossier. Tout est impitoyablement jeté. C'est la règle du jeu. Le dessus de tous les meubles de rangement est en pente, pour empêcher toute transgression. Une façon comme une autre de lutter contre les tendances « rond-de-cuir » et « cocooning » qui sommeillent en chacun. Ici pas question de s'installer pour la journée dans « son bureau ». Un bon consultant est un consultant en clientèle, c'est-à-dire à l'extérieur. Le temps passé au siège doit être court.

Deuxième solution qui a le mérite de la simplicité, du moins sur le plan de l'idée : le partage de bureaux. C'est le principe des chaises musicales. Le dernier qui se retrouve sans siège a perdu. Dans les entreprises, cela se traduit, sans la musique, par un bureau pour deux ou encore un pour quatre. Ce qui suppose un emploi du temps établi à l'avance et une grande rigueur. Il ne faut pas que les quatre personnes aient besoin de leur bureau en même temps. IBM l'expérimente actuellement avec quelques personnes, qui servent de cobayes en quelque sorte. Les études sur l'utilisation du temps de travail montrent que les commerciaux d'IBM passent 30 % de leur temps en clientèle, 12 % en transport et 24 % seulement à leur poste de travail.

SÉDENTAIRES ET NOMADES

Le « poste non attribué » ou le partage des bureaux s'adressent principalement à des « nomades », c'est-à-dire à des personnes qui passent beaucoup de temps hors de l'entreprise. Le fossé se creuse de jour en jour entre « sédentaire » et « nomade ». Certains pourront travailler partiellement chez eux, mais il y aura toujours des prisonniers du téléphone et de l'ordinateur. Pour la plupart, leur présence dans la société est indispensable pour accueillir et gérer les rendez-vous, tenir à jour les dossiers, etc. Les nomades sont plus libres. Parmi eux, on ne compte pas seulement des commerciaux en clientèle. Par exemple, au Conseil d'État, les conseillers ne disposent pas de bureaux privés mais se contentent des bibliothèques aménagées dans le bâtiment pour travailler quand ils en ont besoin. Le bureau du « nomade » est un lieu de passage, quelques heures ou quelques jours par mois. Les réalisations les plus innovantes concernent les entreprises à fort taux de « nomades ». Ce qui est injuste pour les sédentaires qui, de leur côté, ne font progresser que l'ergonomie. Car on sophistique : repose-poignets, repose-pieds, porte-copie pour glisser des documents à la même hauteur que l'écran, bras pivotant pour le moniteur, etc., mais on les laisse toujours devant leur ordinateur avec des tapis-souris personnalisables, au « rebord confort ». Le but : rendre les relations homme-machine supportables, au sens propre. San Francisco a été la première ville à promulguer des lois sur l'usage des micro-ordinateurs, en 1990, généralisant les écrans sans reflets, avec claviers indépendants, adaptables en hauteur ou en largeur, etc.

Mais au-delà du savoir-faire de l'ergonome, l'amélioration du poste de travail par un meilleur éclairage, des meubles adaptés, ou des gestes repensés, c'est le fonctionnement du service, le travail de chacun et l'organisation globale qu'il faudrait repenser.

Une deuxième tendance d'aménagement prend le contre-pied de cette « dépersonnalisation » en proposant des « combi-bureaux » minuscules mais privés ou des bureaux comme à la maison. Ici, l'accent est mis sur le confort personnel, la nécessité de pouvoir s'isoler ou se rencontrer dans des lieux appropriés, l'importance du cadre pour un autre art de vivre. Le « combi-bureau », c'est un tout petit espace fonctionnel. Une cellule de moine qui rassemble toute la technologie moderne, téléphone, micro, etc. Lieu individuel que l'on peut s'approprier, malgré sa petite taille. D'autres pièces sont prévues pour recevoir visiteurs et collègues. Le combi-bureau, c'est le lieu de la réflexion, de la méditation. Pour gagner de la place, les rangements sont en hauteur, le téléphone, parfois le micro sont supendus. C'est pratique, il n'y a plus à se baisser, mais cela ressemble furieusement à une cuisine-laboratoire. L'horizon se rétrécit. Cette organisation oblige l'utilisateur à sortir périodiquement de son bureau pour aller chercher un dossier, assister à une réunion, se détendre dans un couloir, etc. Si les espaces alentour sont vastes et bien aménagés, cela fonctionne parfaitement.

Euro-RSCG, l'agence de communication parisienne dirigée par J. Séguéla, a abandonné les lieux privés de 12 à 15 m^2 par personne pour des cellules de moines de 7 m^2. Ces cellules s'accompagnent, dans les nouveaux locaux de Levallois, de grands espaces communs de réunion afin de réussir, comme dit son président, « la friction de cervelle et la concentration solitaire ».

LE BUREAU-CLUB

D'autres entreprises, également soucieuses de réaliser des économies de mètres carrés, ont réfléchi à leurs modes d'organisation et de fonctionnement et changé radicalement leur cadre de travail en proposant des aménagements parfois sur le modèle de la maison.

L'exemple le plus fameux, dont nous avons déjà parlé, reste Digital Equipement à Espoo, en Finlande, en 1988. Une même pièce est utilisée par différentes personnes pour plusieurs fonctions. En effet, pour l'architecte de ce projet, Arto Kukkasniemi, il n'y pas une façon de travailler, mais plusieurs, et l'environnement de travail doit être stimulant. Par exemple, une pièce à vivre, le séjour, est aménagée avec des fauteuils confortables que l'on peut incliner presque complètement, aux larges oreillettes pour ménager un peu d'intimité. Ils ressemblent un peu aux sièges de première classe des avions. Les collaborateurs s'installent où bon leur semble, avec leur téléphone portable, leur ordinateur et leur caisson de rangement, tous deux sur roulettes. Dans un coin pour s'isoler ou au contraire à proximité de deux ou trois collègues pour travailler ensemble. Le branchement électrique se fait grâce à des fils torsadés de couleur qui descendent du plafond. Des pièces restent privées, à l'écart, un peu comme les chambres à coucher d'une maison, pour le travail de réflexion. D'autres pièces proposent un espace de travail traditionnel avec des tables en étoile autour d'un meuble haut de rangement, tournant. Enfin il y a un « jardin », une pièce remplie de verdure avec une balancelle pour les rencontres informelles et des tables pour déjeuner (une petite cuisine est à côté) ou pour travailler dans une posture plus classique, assis. Francis Dufy, le président de DEGW, un cabinet d'architecture anglais, grand spécialiste des aménagements de bureaux, préconise depuis longtemps ces aménagements inspirés des clubs britanniques du siècle dernier, qui favorisent l'efficacité, la créativité et les idées.

Pourquoi la salle de réunions doit-elle absolument ressembler à une salle de réunions ? Souvent, un « salon » fait parfaitement l'affaire. On raconte que Marcel Bich, l'inventeur des Bic (saluons au passage le stylo Bic qui a envahi nos bureaux dès 1950) et des briquets jetables, restait debout et n'invitait pas ses partenaires à s'asseoir pour que les réunions ne s'éternisent pas ! Certaines réunions de rédaction du quotidien *Le Monde* fonctionnent d'ailleurs sur ce principe. Les participants restent debout.

Quelques sociétés ont une réelle cuisine avec un réfrigérateur et une salle d'eau pour se changer après le jogging. Il manque encore souvent des véritables vestiaires, et des meubles confortables de la maison comme des sofas, des balancelles ou un hamac…

Digital Equipement, dans sa version « insolite ». Camaïeu de bleus et ambiance décontractée pour un grand séjour. Des fauteuils confortables pour travailler seul, face à son ordinateur sur roulettes ou se réunir à plusieurs. Un bureau qui sans en avoir l'air est un lieu de travail fonctionnel et convivial.

Le hall de l'entreprise Playboy à Beverley Hills aménagé par Sam A. Cardella. Une correspondance subtile entre les découpes du plafond, les ouvertures du mur et les dessins du sol, soulignée par la lumière. Les volutes du comptoir et les petites chauffeuses aux pieds cannelés sont un clin d'œil au style Arts déco.

L'architecte britannique Norman Foster a réalisé ici un ensemble spectaculaire à Duisburg en Allemagne. Une architecture oblongue encadrée par de larges baies qui donne à cette salle des allures de paquebot. De longues tables de travail sont disposées en étoile autour d'une quille majestueuse. Un éclairage minimaliste, qui semble tombé du ciel, en souligne les courbes (page ci-contre).

Si l'entreprise est de grande taille, elle adopte le modèle de la ville. Avec ses appartements, les lieux privés du travail, ses équipements collectifs pour le travail en groupe, ses restaurants, son gymnase, ses cafés, sa poste, son syndicat d'initiative (l'accueil), son square et ses jardins. Une rue ou une place centrale, tout de verre vêtues, servent d'épine dorsale. Les plus importantes ont une crèche, un service médical, des agences bancaires et de voyages, et quelques commerces de première nécessité, du kiosque à journaux au pressing.

Denis Ettinghoffer, l'auteur de l'« entreprise virtuelle », prône les hôtels d'entreprises. Ce sont des Centres d'affaires et de services partagés (CASP). Des bureaux et des salles de réunions pour tous, que n'importe quelle structure ou personne indépendante peut utiliser quelques heures ou quelques jours. Nés dans les années 60 aux États-Unis, ils s'y sont bien développés. La France est plus timide. Les professions libérales utilisent aisément des services de secrétariat et d'accueil téléphonique, mais continuent d'exercer chez elles.

DES BUREAUX DIFFÉRENTS

Les exemples d'aménagements originaux foisonnent chez les architectes, désigners, stylistes, créatifs, etc. Leur formation et leur goût les incitent évidemment à apprécier les lieux hors du commun. Mais il y a peut-être une autre raison à aimer les espaces « différents ». Cet art de vivre s'explique probablement par une manière particulière d'aborder leurs activités. Ils ont une grande habitude du travail en groupe, du partage des idées, et passent leur temps à rebondir sur l'intuition de l'un ou de l'autre. Cette pratique implique une autre utilisation de l'espace de travail, une grande liberté mentale et physique, l'affranchissement des signes habituels de hiérarchie.

Le pouvoir, tel le furet, passe de l'un à l'autre, au fur et à mesure de l'élaboration et de la concrétisation d'une idée. Tout bouge, en permanence, chacun ajoute son grain de sel à telle ou telle esquisse et accepte que son propre projet soit critiqué par tous. Dans des bureaux classiques – des petites pièces de part et d'autre d'un couloir – cette synergie serait impossible.

Enfin, certains cachent une fantaisie et une créativité insoupçonnées derrière le costume trois-pièces-cravate. Voici quelques exemples.

Le journal *Libération* s'est installé dans un garage. En fonctionnement, mais les voitures n'occupent pas les mêmes niveaux que les

« Le rôle de l'architecte est de transformer et de faire avancer la société, de donner aux gens l'envie de découvrir de nouvelles façons de vivre et de travailler. » L'architecte-designer Gaetano Pesce a créé, en 1994, un espace hors du commun pour l'agence de communication

Chiat-Day à New York (en haut). Un lieu de travail qui s'apparente davantage à une école maternelle, à un campus d'université qu'à des bureaux. Dès la réception, un sol rouge volcan et orange pétant sur lequel sont inscrits des repères. Derrière un comptoir en résine au dessin aléatoire, les portes de placards ont pris le profil de visages géants.
Les luminaires sont des moutons accrochés au plafond (ci-contre).

Les ordinateurs enserrés dans une structure métallique ultra-légère et soigneusement empaquetés de duvet de couleurs vives sont montés sur roulettes. Idéal pour travailler au calme dans un petit cocon (ci-dessous).

Des portes toutes différentes, grillagées, matelassées, en forme de bouteille. Tout aussi inattendues, les tables en résine multicolore et les chaises, montées sur des ressorts, ressemblent à des insectes bizarres (page ci-contre).

bureaux. Les espaces sont identiques et une rampe (piétonne) relie les différents niveaux de travail entre eux. Ceux-ci sont aménagés en espace ouvert, avec ou sans cloisons vitrées. Elles suivent alors la trame des boxes de voitures. Les plateaux sont de taille moyenne. Une disposition classique, mais une grande densité de postes de travail. Des micro-ordinateurs partout, beaucoup de documents divers, sur les tables, sur les chaises et par terre, sur les dessertes et les armoires, de nombreux postes de télévision, en fonctionnement selon les heures, une grande concentration et une certaine nervosité. Chaque jour, on sort un journal.

Agraph Look, une agence de communication et de design, s'installe elle aussi dans un garage désaffecté, lui, du XVe arrondissement de Paris. La rampe d'accès est conservée.

Mais les bureaux les plus fous se trouvent, comme il se doit, à New York : l'agence de publicité et de communication Chiat-Day conçue par l'architecte italien Gaetano Pesce, en 1994, est un monde délirant, mais jamais de façon gratuite. Une réflexion sur l'organisation du travail des 120 à 150 personnes présentes a conduit à ces choix inhabituels.

Une ambiance extraordinaire, colorée, rouge avec des portes en forme de bouteille, de point d'interrogation, ou encore matelassées. Une banque d'accueil pour les employés dans une niche en forme de grosses lèvres rouges (ils viennent chercher leur courrier, leur téléphone cellulaire, signaler leur présence, etc.) et pas de bureaux, ni de papiers, ni de dossiers. Un espace ouvert, avec une bibliothèque, des coins pour utiliser l'ordinateur, le fax ou le téléphone. La cafétéria fait office de lieu de travail et de réunion avec des chaises originales en résine de couleur, montées sur ressort, dessinées également par Gaetano Pesce. Les ordinateurs s'habillent de paravents recouverts d'un gros édredon molletonné pour une meilleure isolation phonique. Le système est ingénieux : la structure grillagée ultra-légère en métal est montée sur roulettes. La tablette supportant l'ordinateur et le fauteuil est encastrée dedans. Cette cellule est mobile, on peut se mettre n'importe où du moment qu'il y a une prise de courant à proximité. Pas de hiérarchie, pas de bureaux et pourtant, c'est un lieu de travail dynamique où sont conçues les campagnes de publicité d'Apple, Coca-Cola, Nike, etc. Il existe aussi des salles de projets et des salles spécifiques à chaque annonceur. Un gain de 30 % dans l'utilisation de l'espace.

« L'architecture actuelle, c'est du somnifère ! Moi, je veux stimuler les gens, leur donner des états d'âme optimistes, une vitalité pour faire, agir, travailler... », dit Gaetano Pesce. Pour Jay Chiat, la question « ne doit plus être de savoir où l'on va s'asseoir en arrivant au bureau, mais

de savoir quelle tâche on va accomplir. Et cela, c'est un changement énorme et traumatisant ». Reste à espérer que cette réussite exemplaire soit largement plagiée, copiée, adaptée... et qu'elle devienne la référence de la fin des années 90, après Centraal Beheer, et Digital Finlande.

Quand leurs clients ne leur proposent pas des endroits extraordinaires à aménager, les architectes font des projets pour eux-mêmes. Ainsi deux d'entre eux ont installé leur agence sur une péniche en état de marche. *Sycomore*, c'est son nom, a conservé la machinerie et la timonerie. Deux niveaux reliés par un escalier. Accueil, documentation et bibliothèque avec des lutrins pour consulter aisément les documents et organiser de petites réunions debout, en haut, bureau de dessins en bas ou chacun dispose d'une table à dessin et d'un petit bureau rétractable. Une ambiance de bois et de chrome. Une autre agence d'architecture a investi d'anciens bains-douches parisiens en conservant une grande partie de l'architecture d'origine.

Showroom de Knoll International, éditeur de mobiliers de bureau, réalisé à Francfort par Studios Architecture. Un vaste volume coupé par de massives poutres et des croisillons en bois brut. Un pliage de métal ajouré comme plafond. Un simple habillage destiné à mettre en valeur le mobilier présenté (ci-dessous).

François de Ménil, architecte, a réaménagé les bureaux du *Esquire Magazine* à New York en mettant en valeur les origines industrielles du bâtiment. Le béton blanchi et les tuyauteries sont volontairement laissés apparents avec un simple éclairage au néon. Une cloison translucide parfait la décoration de ce bureau-loft (page ci-contre).

BUREAUX VIRTUELS

Le développement à très grande vitesse des nouvelles technologies de communication, comme les systèmes multimédia, Internet ou les autoroutes de l'information, aura forcément des répercussions importantes sur les modes de travail et donc sur l'espace de travail.

Il ne s'agit plus d'imaginer le bureau de l'an 2000, mais le fonctionnement de l'entreprise du troisième ou du quatrième type. Les spécialistes s'accordent à prévoir l'émergence de la responsabilité par processus et non plus par tâche. Une nouvelle façon de travailler autour d'une chaîne d'opérations, à plusieurs en réseau. Cela impliquera, encore plus qu'aujourd'hui, la constitution de groupes de personnes qui travaillent ensemble autour d'un projet global.

En entreprise classique ou en entreprise « virtuelle » ? Plus simplement, on peut prédire une plus grande flexibilité au sein des espaces de travail et la perte du bureau individuel classique. Des équipes qui se constituent autour d'un projet pour quelques semaines ou quelques mois auront besoin de petits postes de travail individuels, mais surtout de nombreuses « salles de projets », équipées spécialement, un peu à l'image d'une salle de réunions privée ou des « salles de marques » de certaines agences de communication. La documentation et tous les éléments nécessaires à la réalisation d'un projet pour un annonceur sont rassemblés dans un même lieu collectif. On peut supposer aussi que, d'ici quelques années, il y aura moins de papiers et donc moins d'armoires...

Pour certains, le bureau de demain, ce sera la suppression du bureau, comme le proclame Denis Ettinghoffer, consultant en organisation, et auteur de l'« entreprise virtuelle » :

« Voyageuse immobile, l'entreprise doit être virtuellement partout pour gérer au mieux ses ressources, son savoir-faire, ses produits et ses clients. Nous voici devenus les "hommes terminaux" d'une société branchée, connectée, dans laquelle s'émiette notre temps entre vie privée et professionnelle, qu'aucune frontière ne sépare plus. Nous voici aussi "nomades électroniques", zappeurs fous d'un travail qui se parcellise en de multiples lieux, en de multiples tâches. »

Pour les tenants de l'entreprise virtuelle, l'organisation actuelle est un énorme gâchis puisque les cadres et commerciaux sont derrière leurs bureaux moins de 30 % de leur temps. Les sédentaires peuvent travailler chez eux et l'entreprise n'a plus besoin de bureaux. De temps à autre, des grand-messes rassemblent le personnel et le tour est joué. Vision un peu exagérée du travail qui fait ainsi l'impasse sur les relations et la convivialité. En un mot sur l'art de vivre au bureau.

Dans le bureau virtuel, l'ordinateur prend le relais des relations humaines. Le micro est déjà organisé comme un bureau (presse-papiers, bureau, fichier, rangement, corbeille, calculette, etc.), mais pourra-t-il remplacer les mille petites choses de la vie quotidienne ?

La machine devient le partenaire idéal, docile, attentif et compétent. On lui écrit, on lui répond, on fait le ménage, on range ses fichiers. Tous les avantages, sans les inconvénients d'une personne réelle avec ses sautes d'humeur, ses intuitions et ses associations d'idées. L'ordinateur devient le symbole d'un face-à-face sans danger, le siège de relations avec le monde entier que l'on contrôle sur son petit coin d'écran. En cas de crise, on peut toujours l'éteindre rageusement. Il devient une sorte de miroir physique et mental qui peut aller jusqu'à la caricature. La civilisation de la technique prend le pas.

Les relations humaines deviendront-elles une exclusivité réservée aux dirigeants ? Depuis quelques années, ils ont à leur disposition tous les moyens possibles pour communiquer à distance, vidéoconférences, visiophone, etc. Et pourtant ils préfèrent les communications directes et n'hésitent pas à prendre un avion pour une réunion de quelques heures. Mettent-ils ici, en avant, leur vision stratégique du futur ? Ou simplement leur plaisir à s'échapper du bureau ?

Le bureau sans papier est, paraît-il, l'avenir. Chacun coincé derrière son écran, dans un bureau ou dans sa chambre, se relie de façon immatérielle avec les autres et échange des informations. Mais la solitude et l'isolement s'accroissent sous la pression d'une communication de plus en plus abstraite. Actuellement, on s'accroche comme des désespérés à ce type de communication : on ne se voit pas, mais on se parle et on communique sans arrêt, souligne Philippe Breton, l'auteur d'ouvrages sur l'informatique et la communication. « Pourtant, les techniques ne prennent que la place qu'on leur donne. »

Cette explosion de la communication est un nouveau thème de recherches pour les designers. En 1991, Philippe Starck anticipait la disparition du bureau. « Il s'agirait d'abord d'aménager les espaces de travail en espaces domestiques (et réciproquement) en les dotant d'outils perfectionnés et de l'ambiance idoine. » Puis il va plus loin en travaillant sur l'intériorisation des instruments de la communication, qui deviendraient de véritables prothèses à l'image du « pacemaker ». Un clin d'œil, peut-être, pour montrer les risques et les contradictions qui guettent l'homme d'un futur proche.

LES BUREAUX DU FUTUR

Les fabricants mettent déjà sur le marché les « bureaux du futur ». De vastes tables vides avec des systèmes complexes de câblage intégrés mais visibles, qui ressemblent à une épine dorsale comme le système « Ypso » pour le fabricant Aspa (1991).

La société de mobilier de bureau Ronéo propose le « bureau liberté » conçu par W. Muller Deisig. Des plans de travail reconfigurables grâce à des clips, à n'importe quelle hauteur. Des porte-écrans et des accessoires à accrocher en hauteur. On peut travailler assis, debout, face à face, isolé, etc. Le plus étonnant, c'est celui que la firme italienne spécialisée dans les meubles de bureau Techno a commandé à Norman Foster, architecte, le « bureau Nomos ». Il a laissé libre cours à sa passion pour l'aéronautique et proposé un système qui utilise l'espace du sol au plafond, comme dans une cabine de pilotage. Le plan de travail est déplaçable, les pieds de la structure en pattes d'araignée évoquent le LEM qui se posa sur la lune. Un puzzle à composer soi-même, en fonction de ses besoins, en différentes largeurs et hauteurs.

La société Big Boss Compagnie commercialise un meuble compact, pour les managers, qui ne déparerait pas une salle de séjour. Il permet « le travail, le rangement, la relaxation, le confort et l'événementiel ». La partie arrière se déplie en secrétaire avec chaîne hi-fi, rayonnages, réfrigérateur et coffre-fort. Une télécommande permet de faire surgir magiquement un fauteuil qui se transforme en lit confortable, et non pas en citrouille, face à un téléviseur. Les accoudoirs recèlent mille trésors : plans de travail, dossiers, micro-ordinateurs et téléphone ; le bar n'est pas oublié mais il se cache pudiquement derrière une porte escamotable... Un bureau digne de James Bond !

Même le vocabulaire est intéressant : après le bureau « Liberté » et le « Nomos », voici le « Tech Survival Kit » de Philips et Olivetti. Traduction : un kit technique de survie, qui permet à l'utilisateur de poursuivre son travail n'importe où (sur la banquise, dans sa salle de bains, ou au bord de la piscine ?) grâce à une station de travail nomade miniaturisée. C'est un tapis magique, molletonné comme un couvre-lit, coloré, qui rassemble toutes les fonctions indispensables : lecteur de CD-Rom, de disquettes, téléphone cellulaire, calculette, agenda électronique, et dissimule ses touches et claviers. Fermé, il fait penser à un gros agenda ou encore à un petit oreiller... Avec ses matériaux chauds aux couleurs vives, il évoque plus un objet de la maison, un jeu de découvertes pour bébés de zéro à six mois qu'en aucun cas du matériel de bureau.

Ce « tapis magique » porte bien son nom. Dessiné par Stefano Marzano et Michele De Lucchi, c'est « un ordinateur de survie » qui ressemble à un tapis d'éveil premier âge. Pourtant, il comporte un agenda électronique, une calculette, un téléphone cellulaire, un fax, un ordinateur à écran ultra-plat, sans oublier l'indispensable lecteur de CD-Rom! Pas de fil électrique disgracieux, il fonctionnera – bientôt – grâce à des liaisons infrarouges.

Les lieux de travail sont totalement repensés et rebaptisés. Le « docking office », par exemple, est une sorte de hangar de travail qui évoque un bel atelier de menuiserie, avec au mur une large panoplie d'outils originaux, un clavier en forme de demi-lune, un galet chromé de la taille d'une assiette à dessert pour lire des CD-Rom et un écran qui, évidemment, ne ressemble pas du tout à un écran. Le tout fonctionne sans fil par liaison infrarouge. On se compose ainsi sa « tool box », sa boîte à outils pour le travail de la journée, pour aller à un rendez-vous ou simplement s'installer sur un plan de travail collectif. Au milieu du « docking office » se trouve un « group tool », c'est-à-dire un outil collectif, une sorte de bureau d'accueil, une base pour prendre les rendez-vous, stocker les informations, travailler, se réunir. Il ne ressemble pas du tout à un bureau mais à un coffre, aux formes arrondies, on s'y retrouve pour bavarder. Il contient la photocopieuse, l'imprimante, le fax, et la déchiqueteuse à papiers. Enfin, une « pièce vide » dépourvue de mobilier est équipée d'une vidéothèque murale qui se substitue totalement au bureau classique.

Dans le bureau du futur imaginé par Marzano et De Lucchi, il suffit de choisir les outils dont on a besoin pour travailler. Avant d'aller à un rendez-vous, on emprunte une « boîte à outils » pour transporter l'ordinateur – qui bien entendu ne ressemble pas à un ordinateur (ci-dessus).
Sur place, dans une pièce quasi vide, on sélectionne sur le panneau de rangement du « hangar de travail » (*docking office*), le matériel nécessaire (ci-contre).

Un « communicator », étrange objet qui vous permet d'entrer en relation avec le monde entier. Drôle de sculpture qui est en fait un micro-ordinateur-fax-téléphone-répondeur.

« Toutes nos propositions sont théoriquement réalisables », affirment les deux concepteurs, Stefano Marzano et Michele De Lucchi. Pour eux, il s'agit de penser le futur en partant des activités humaines et non plus des produits. Les futurs utilisateurs seront de véritables nomades, y compris au sein de l'entreprise. Le journaliste Luc Vachez, rendant compte de ces recherches dans *Libération*, souligne avec pertinence : « Au "sans fil" de l'objet répond le "sans lien" du travailleur qui devient à son tour un module, un élément d'une "boîte à outils" mondiale. »

Rank Xerox pense aussi au lendemain : développer des technologies permettant de fusionner information-papier et information-électronique. Le bureau électronique, c'est d'abord une table banale sur laquelle on peut entasser des papiers et laisser traîner ses affaires. Mais ce n'est pas seulement cela. Un écran d'ordinateur s'imprime sur le plateau comme une décalcomanie. Des images électroniques sont projetées à l'aide de caméras sur les documents-papiers du plan de travail. Le bureau électronique réagit à des gestes du doigt ou de la main. Il lit des documents-papiers posés sur le bureau.

Un exemple, le prototype actuel permet d'entrer des nombres sur une calculette en les pointant simplement sur une feuille de papier. Un autre exemple, la fonction couper-coller est possible sur le papier sans passer par des ciseaux, du Scotch et un photocopieur. Dans l'autre sens, une mise en page manuelle de documents avec des logos, des graphiques, etc. peut se transformer instantanément en documents électroniques. Travailler à plusieurs, sans être ensemble, devient un jeu d'enfant. Chacun peut « voir » également les documents-papiers sur les bureaux des autres. « Le but n'est pas d'améliorer les ordinateurs en leur facilitant l'accès aux documents-papiers, mais bien de transformer le document-papier afin qu'il puisse accéder aux facilités de l'ordinateur », souligne Monica Beltrani (responsable des relations d'affaires chez Rank Xerox). « En d'autres termes, au lieu de proposer aux utilisateurs de travailler dans le monde des ordinateurs, il faut faire travailler l'ordinateur dans leur monde. »

Un « group tool » en bois, littéralement un outil collectif, installé au milieu du « hangar de travail » de ces bureaux du futur. Sa forme douce et carrée doit être propice au bavardage. On s'y retrouve pour imprimer, photocopier, faxer ou déchiqueter les papiers périmés.

Dans ce monde virtuel, le papier n'a pas encore disparu (ci-dessous).

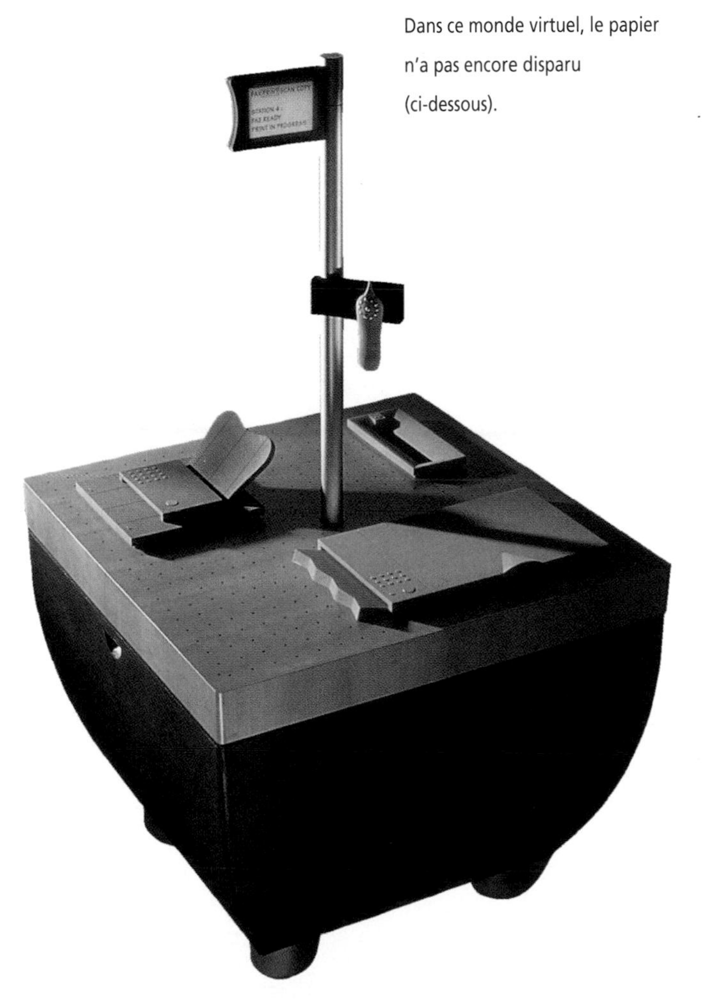

Voici la version la plus légère du travail de demain : un homme-bureau imaginé par British Telecom, une minuscule console de communication, dotée d'un téléphone, d'un vidéophone, d'un fax et d'un ordinateur. Une utilisation facile pour droitier comme pour gaucher qui nécessitera toutefois un certain culot... et une bonne musculation de l'avant-bras.

L'HOMME-BUREAU

« L'homme-bureau existe, nous l'avons rencontré », pouvait-on lire dans un magazine d'informations en février 1995. En effet, British Telecom a mis au point une console de communication, qui comprend un téléphone, un vidéophone, un fax et un ordinateur. Jusqu'ici, rien d'extraordinaire. Sauf que cet ensemble est minuscule et se fixe sur l'avant-bras. Le bras doit-il reposer sur une table ? (Le poids n'est pas indiqué.) C'est un bureau ambulant. Reste à savoir si les hommes d'affaires oseront l'exhiber dans les endroits les plus incongrus, maintenant qu'ils ont pris l'habitude d'utiliser leurs téléphones cellulaires n'importe où. Il est heureusement encore un peu trop gros pour encombrer les salles de restaurant...

Une autre version vient de paraître, le BTC, Body Top Computer, de NEC (société japonaise) qui remplace téléphone, Post-it, agenda et classeur. Il s'utilise assis ou debout. C'est un sac à dos ventral, comme les sacs kangourous pour bébé, un écran et un clavier se déplient devant soi... Le bureau n'est plus un lieu mais un fait, l'adresse se résume à un numéro de téléphone et de fax.

Une variante à peine différente : le Porto-Office. Sur le dos, un long tube abrite les différents composants éléctroniques. Sur le ventre, un ordinateur équipé d'un fax modem et d'un appareil photo numérique, sur la tête, deux écouteurs et un micro. Il devient un véritable prolongement de l'individu qui peut à sa guise taper sur le clavier, écrire sur l'écran tactile, photographier ou parler dans son micro. Et l'ordinateur enregistrera, répondra, conseillera...

LE BUREAU-MOBILE

Le bureau-mobile ne date pas d'aujourd'hui. Le scribe l'a inventé, nous l'avons vu, il y a plus de cinq mille ans. Plus près de nous, en version aristocratique, c'est le secrétaire de carrosse en bois de rose Louis XV construit en 1738. Un abattant avec tirette à secret découvre de petits tiroirs et un casier de rangement à papier, réglable. Difficile, toutefois, d'y adapter la technologie moderne.

Les nomades ont gagné, et le XXIe siècle sera celui du bureau-mobile. Il existe déjà sous différentes formes.

Ainsi, une version simple, légère et discrète : Roman Claquin, jeune architecte de l'ESAG, crée en 1989 une ligne de bagages à main avec des valises qui se transforment en bureau de voyage grâce à des pieds articulés télescopiques. Les designers Bernard Byk et Hervé Juhel présentent en 1990, au Salon des artistes décorateurs, la gamme Alaska, un bureau et un fauteuil qui se plient en forme de valise. Ont-ils trouvé des éditeurs depuis ? Dans la même veine, le Tulip Case, mallette totalement autonome qui intègre micro-ordinateur, imprimante, logiciel et modem, avec dans son couvercle des casiers pour le papier, les stylos, etc., est finalement un produit banal.

La version écologique est américaine avec le vélo-tout-communicant. « Son *data space* bourré d'électronique pèse 264 kg. Mr. Roberts peut bavarder ou travailler, via un micro incorporé, avec ses clients. Son casque recèle un dispositif à ultrasons qui sert à déplacer des curseurs sur un écran miniature. Des touches incorporées dans le guidon pour la frappe, plusieurs micro-ordinateurs et d'immenses antennes dans sa remorque équipée de panneaux solaires lui permettent d'éditer un périodique et de communiquer par satellite avec des milliers de correspondants. Un dispositif VTT qui permet à Steve de se promener à (très) petite vitesse dans les États-Unis, au gré de ses conférences sur les systèmes de communication mobile. »

La version ordinaire, la voiture avec chauffeur, se remarque en ville ou aux abords des aéroports. La voiture est un lieu alternatif pour nos cadres dirigeants. Un ou plusieurs téléphones (on n'arrête pas le progrès), un fax, un micro, les dossiers sur les genoux ou sur une tablette rabattable, un bar avec réfrigérateur, la télévision et la climatisation sont en option.

Quand il n'y a pas de chauffeur, on se débrouille avec des tablettes fixées à côté du volant, des calepins et des Bic au bout d'une chaîne. Un petit magnétophone de poche et un téléphone « mains libres » évitent les contorsions et les accidents.

En grand format, c'est l'autocar-bureau. Les hommes politiques américains (ou autres) allient ainsi confort et mobilité. Un bureau qui roule, ou plus exactement une véritable petite entreprise mobile, avec ses fonctions de réception, de travail privé, de réunions. John Madden, journaliste sportif américain à CBS, s'est aménagé un car « greyhound » en bureau roulant depuis longtemps. Il comporte évidemment tous les ingrédients nécessaires au travail et à la communication, mais aussi une petite cuisine, un cabinet de toilette et une vraie chambre.

Un conseiller général de la région parisienne, en délicatesse avec certains élus, ne tient plus ses permanences dans les mairies mais emprunte chaque semaine à un de ses amis un camping-car...

Luxe, calme et volupté. Fauteuil profond en cuir, décor en loupe d'orme, ambiance feutrée, tablette pratique et accoudoir moelleux, mais aussi téléphone, ordinateur, fax. Un bureau cousu main et le savoir-faire de Rolls-Royce. Le rêve de tout homme d'affaires.

La version classique et indémodable reste le train d'affaires (en première classe uniquement). Le fameux « Rubens », qui reliait tôt le matin Paris à Bruxelles, est devenu, hélas, un TGV ordinaire. Il n'empêche, quel spectacle réjouissant que ces nouveaux bureaux paysagers où une armée d'hommes d'affaires concentrés, habillés du même uniforme, s'abîment dans des dossiers épais ou tapotent dans un silence religieux leurs portables (parfois, la vitesse de frappe laisse encore à désirer...) sans un regard pour le paysage.

Les salons-bureaux des compagnies aériennes, que l'on trouve dans chaque aéroport, sont une variante un peu plus sophistiquée, car il faut posséder un billet d'avion en classe affaires ou en première classe pour y avoir accès. Et prévoir des boules Quies pour éviter les nuisances de cette nouvelle épidémie : plusieurs personnes assises côte à côte, accrochées à leur téléphone cellulaire.

La bagarre des prix, puis celle du confort font rage entre les compagnies aériennes. Une nouvelle bataille commence avec le fauteuil-bureau. Écran-vidéo au siège, téléphone, prise pour l'ordinateur portable, et la possibilité d'envoyer des fax partout. Pour cette autre compagnie, non seulement on pourra téléphoner et téléfaxer, mais aussi, luxe suprême, recevoir des appels...

On raconte que le président Bush adorait travailler dans son Boeing 747 spécialement aménagé pour un staff de soixante-dix personnes, avec salles de réunions, bureaux, restaurant et espace privé. Les jets privés de certains dirigeants, de taille beaucoup plus modeste, possèdent néanmoins tous des tablettes, des téléphones, des fax et des micro-ordinateurs.

Mais à défaut d'avion, un bateau peut parfaitement faire l'affaire. De son yacht avec ses quarante-deux téléphones (!), l'armateur grec Onassis dirigeait ses entreprises disséminées dans le monde entier, tout nu, paraît-il.

Et puis, il y a tous ceux qui, pour diverses raisons, n'ont pas de bureau attitré, mais cependant du travail. Ils utilisent des lieux publics, les cafés, les bibliothèques, les halls des grands hôtels, etc. et les bureaux des autres. Ou encore des chambres d'hôtel, comme cet éditeur d'art qui vit et travaille à l'hôtel, comme le relate *Libération* en mars 1995. Travailleur nomade, un fax, un téléphone et une table dans sa chambre lui tiennent lieu de siège social. Sa chambre fait bureau, le standard de l'hôtel remplace secrétariat et accueil. Un mode de vie original. Depuis Coco Chanel, qui a vécu dans une suite du Ritz pendant quarante ans, le luxe se perd. Il existe de moins en moins de personnes ayant les moyens de séjourner dans un grand hôtel à l'année et d'y traiter leurs affaires... en profitant d'un personnel nombreux et compétent.

Ces dernières années, le téléphone cellulaire a brouillé les cartes. Avec lui, n'importe quel lieu peut être perçu comme un bureau par celui qui appelle ou par celui qui est appelé. Le correspondant peut être dans son bain, on n'en saura rien.

Une journaliste prend ses quartiers d'été sur le quatrième banc d'un jardin public parisien. Un téléphone portable et un bloc-notes transforment ce lieu, à peu près désert sauf le mercredi, en bureau original. La chlorophylle au secours de la concentration...

LA DISPARITION DU BUREAU ?

Le bureau est-il condamné à disparaître ? Le bureau-pièce individuelle d'une quinzaine de mètres carrés certainement. Mais l'entreprise, groupe de personnes œuvrant ensemble sur des projets communs, non. L'entreprise ne sera peut-être plus seulement une succession de bureaux et de salles de réunions, mais offrira des espaces de travail ouverts et dépersonnalisés, propices aux échanges et à la communication si importants dans le travail.

Elle deviendra peut-être un lieu collectif d'un genre nouveau, un peu comme un club privé, à l'image des institutions anglo-saxonnes, avec des fauteuils moelleux pour traiter confidentiellement et confortablement des affaires, une bibliothèque feutrée, un bar, etc.

Ou une hôtellerie à l'ambiance familiale, avec son coin-cheminée, ses salons pour la correspondance et la lecture, ses salles de jeu et de détente, avec ou sans ping-pong et Baby-foot.

Enfin, elle s'inspirera peut-être du monastère, qui, pour certains chercheurs, est le premier modèle de l'entreprise moderne, et proposera des cellules individuelles de travail, identiques pour tous, des parloirs pour recevoir, des bibliothèques, des lieux de méditation et de réflexion, et des ateliers pour la création.

L'abandon de son bureau, le nomadisme, la prépondérance de plus en plus marquée du travail sur écran incitent à repenser complètement son mode de vie. À inventer de nouveaux équilibres entre travail et vie privée, quand l'espace n'est plus là pour marquer les séparations et imposer une façon de faire. Et là, il ne s'agit plus seulement d'art de vivre au bureau, mais d'art de vivre tout simplement.

Carnet d'adresses

Un carnet d'adresses, c'est forcément quelque chose de personnel, qu'on évite d'ailleurs d'égarer ou de laisser traîner... Celui-ci, sur l'art de vivre au bureau, propose une sélection originale de nos « coups de cœur ». C'est un carnet naturellement français. Si la plupart des adresses se situent à Paris, la majorité des enseignes sélectionnées ont soit des magasins en province, soit des revendeurs. À côté des grands noms classiques des professionnels du bureau pour le mobilier, les accessoires ou les luminaires, nous avons voulu aussi attirer l'attention sur des magasins moins spécialisés, qui pourront néanmoins vous aider à créer une ambiance originale pour votre espace de travail.

MOBILIER

Nous avons distingué les spécialistes du bureau qui fabriquent leur propre mobilier, les distributeurs et éditeurs originaux de meubles d'architectes et de designers pour le bureau ou pour la maison et les magasins généralistes de l'ameublement et de la décoration. À titre d'exemple, nous citons pour chacun quelques-unes de leurs créations les plus connues.

Fabricants de mobilier ou distributeurs, ou encore les deux, ils proposent quasiment tous des services complémentaires : conseils pour l'implantation, livraison, montage, etc. Ils ont leurs propres boutiques, ou encore des revendeurs partout en France et souvent dans le monde entier. Nous donnons ici les adresses des sièges sociaux auprès desquels il sera facile d'obtenir la liste des points de vente.

LES INCONTOURNABLES

ACTUALITY
31, rue de Charenton
75012 Paris
Tél. : 43 44 88 03.
Notamment une gamme de bureaux signée G. Faleschini, entièrement revêtue de cuir. Les petits bureaux « Fitgerald » ou « Waldorf » d'inspiration années 30 en loupe de frêne ou sycomore nacré, dessinés par Emilia Dais, trouvent leur place aussi bien à la maison que dans l'entreprise, tout comme la ligne « Alfa » avec ses tables de direction aux lignes fines très élégantes.

AIRBORNE
Liste des points de vente au 49 48 91 31.
L'éditeur du bureau « Kvadrat » de Jean-Louis Berthet (1990). Une belle table carrée profilée en aile d'avion montée sur un piétement en métal laqué. Une petite merveille de simplicité (p. 113).

CASTELLI
162, boulevard Voltaire
75011 Paris
Tél. : 44 64 12 12.
Plus de cent ans de tradition pour cette firme de Bologne créée en 1877 par Cesare Castelli et qui fournit aujourd'hui des meubles de bureau dans le monde entier. Depuis 1947, la maison s'est spécialisée dans le mobilier de bureau et particulièrement dans les chaises avec la très aérienne « Pénélope ».

HERMAN MILLER
37, avenue Pierre-Ier-de-Serbie
75008 Paris
Tél. : 40 69 62 62.
Associé aux designers Charles Eames, Robert Propst ou George Nelson qui dessina dans les années 40 le premier bureau avec retour en L, Herman Miller est devenu une véritable référence historique en matière de mobilier de bureau. Herman Miller propose aujourd'hui une gamme très large de « systèmes », éléments modulaires à composer en fonction de ses besoins.

KNOLL INTERNATIONAL
268, boulevard Saint-Germain
75007 Paris
Tél. : 47 05 74 65.
Autre société américaine de renom, Knoll International collectionne les produits phares depuis les années 50 : les chaises « Tulipes » de Eero Saarinen, les « grillagées » de Harry Bertoia (p. 62), le mobilier de Mies Van der Rohe dont la célèbre « Barcelona chair » créée en 1929 reste un classique du décor de bureau, celui de Marcel Breuer, les créations de Florence Knoll, d'Ettore Sottsass ou l'étonnante *Franck Gehry collection*. Depuis quelques temps sont proposés des ensembles à prix raisonnables, notamment la série SOHO, tables, armoires et chaises aux couleurs claquantes et aux formes rondes.

MARCATRÉ
5, rue Scribe 75009 Paris
Tél. : 49 24 92 06.
Dans son très beau showroom qui ressemble à un vaste espace de travail, les meubles sont mis en situation. Parmi d'autres, les créations d'Achille Castiglioni avec la table « Solone », un triangle curviligne en hêtre, idéal pour le travail de groupe. Mario Bellini qui a contribué au succès de Marcatré en concevant la « planète bureau » en 1975 (p. 84) signe aujourd'hui une nouvelle gamme « Extra Dry », un bureau léger, modulable et personnalisable à souhait en panneaux stratifiés de couleurs vives.

MEUBLES ET FONCTION
135, boulevard Raspail
75006 Paris
Tél. : 45 48 55 74.
Le spécialiste du mobilier d'architecte de Le Corbusier à Jean Prouvé en passant par Arne Jacobsen, Pierre Paulin ou Mario Botta.
Des valeurs sûres et classiques.

MOBILIER INTERNATIONAL
162, boulevard Voltaire
75011 Paris
Tél. : 44 64 12 12.
Parmi d'autres, le superbe bureau triangulaire « Concord » dessiné par Jean-Louis Berthet et Denis Vasset et l'ensemble « Interface », conçu par Marc Alessandri et Asymétrie, en 1990. Composition astucieuse de deux éléments : une desserte pour Minitel, ou micro et une table de travail en demi-lune autour de laquelle on peut travailler à plusieurs.

OLIVETTI SYNTHESIS
70, boulevard Aristide-Briand
77000 Melun
Tél. : 64 14 23 23.
Présente une gamme dessinée par Achille Castiglioni et Michele de Lucchi.
Une longue table en cerisier ou bois de rose, et des rangements conçus pour accueillir fax, imprimante ou micro, dissimulés derrière des vitres en verre fumé.
On en oublierait presque le travail...

ORDO
BP 149 85603 Montaigu
Tél. : 51 45 61 00.
Parc Fontaine - Bât D 42
50, avenue des Champs-Pierreux
92022 Nanterre
Tél. : 46 14 22 00.
Un spécialiste du bois et un bureau en demi-lune de Sylvain Joly, simple et convivial.

POLTRONA FRAU
242 *bis*, boulevard Saint-Germain
75007 Paris
Tél. : 42 22 06 01.
Une prestigieuse ligne signée Lella et Massimo Vignelli, entièrement gainée de cuir. Du plan de travail à la bibliothèque sans oublier le petit fauteuil bridge en demi-rond. Des lignes d'une pureté extrême et un matériau inhabituel.

REPÈRES
102, rue du Cherche-Midi
75006 Paris
Tél. : 45 48 68 48.
Distribue les gammes de Airborne, Knoll, Vitra et édite de nouveaux créateurs du bureau, dont la ligne « Bullo », dessinée par Claire Bataille et Paul Ibens, jeunes designers belges.

LIGNE ROSET
25, rue du Faubourg-Saint-Antoine 75011 Paris
Tél. : 40 01 00 05.
Spécialiste de l'ameublement pour la maison, Roset se lance dans l'aménagement de bureau avec un choix de marques exclusives, Cor et Renz, Reflex et Zeritalia.

STEELCASE STRAFOR
134, boulevard Haussmann
75008 Paris
Tél. : 45 62 72 83.
Liste des points de vente au (16) 46 98 03 20.
Steelcase, devenu par la suite Steelcase Strafor, édite depuis 1939 les célèbres meubles de F.L.Wright pour la Johnson Wax Company (voir p. 42).
Cette société privilégie une approche globale des espaces tertiaires et propose un véritable conseil à ses clients. Du mobilier sobre, particulièrement étudié sur le plan ergonomique.

TECNO
242, boulevard Saint-Germain
75007 Paris
Tél. : 42 22 18 27.
Distribue, entre autres, la célèbre gamme high-tech « Nomos » de Norman Foster, à plateau de verre et piétement acier (p. 81). Le programme de direction signé Gae Aulenti, le canapé à dossier mobile « Topo Modo » de Jean-Michel Wilmotte et la dernière petite chaise en aluminium anodisé de Ronald Cecil Sportes.

UNIFOR
14, rue Pierre-Nicolau,
93582 Saint-Ouen,
Tél. : 40 12 77 17.
6, rue des Saints-Pères 75007 Paris. Tél. : 42 60 76 22.
Spécialiste de l'aménagement de bureaux. À retenir : le petit secrétaire de Richard Sapper, la maxi-table en aluminium et les caissons de rangement sur roulettes de la ligne « Naos » dessinés par Pierluigi Cerri et le mobilier de la fondation Cartier, dont une table « sans épaisseur » surprenante.

VITRA
40, rue Violet 75015 Paris
Tél. : 45 75 59 11.
Pour les non-conformistes.

Vitra propose des solutions inédites pour l'environnement de travail avec notamment le système « Metropol » de Mario Bellini et Dieter Thiel (p. 124), le bureau de direction « Spatio » dessiné par Antonio Citterio ou le bureau « baroque » de Borek Sipek (p. 69). Parallèlement, sont édités en série limitée des modèles dessinés par les grands noms du design, Ron Arad, Shiro Kuramata, Ettore Sottsass ou Gaetano Pesce.

LES ÉDITEURS/ DISTRIBUTEURS ORIGINAUX

D'après un sondage effectué par le Salon du meuble cette année auprès de deux cents distributeurs de mobilier, les meilleurs produits actuellement sur le marché sont la collection « LC » de Le Corbusier (fauteuils pour Cassina), la chaise « Lord Yo » de Philippe Starck (pour Driade) et la chaise « Lolita » de Pascal Mourgue (éditée par Artelano). Ce mobilier trouverait parfaitement sa place dans un espace de travail.
Les magnifiques rééditions d'architectes et de designers et des éditions contemporaines sont en vente chez Meubles et Fonction (voir ci-dessus) mais aussi chez :

CASSINA
49, rue de Berri 75008 Paris
Tél. : 45 61 04 17.
168, rue du Faubourg-Saint-Honoré 75008 Paris
Tél. : 45 63 90 48.
Incontournable. L'éditeur italien collectionne les rééditions historiques, le bureau « Johnson Wax 1 » de Franck Lloyd Wright (p. 42), la fameuse table en verre et tube d'avion « LC6 » de Le Corbusier ou les meubles de Rennie Mackintosh. Plus contemporains, les meubles de Gaetano Pesce, Vico Magistretti ou Toshiyuki Kita.

CLASSIC CONCEPT
8, rue du Mail 75002 Paris
Tél. : 47 03 96 60.
Cette société a eu la bonne idée de rééditer certains meubles de métiers si recherchés chez les brocanteurs, dont certains conviennent très bien aux bureaux. Meubles d'imprimerie, à une ou deux colonnes, ou même format raisin, permettent un classement original.

COLLECTANIA
168, rue de Rivoli 75001 Paris
Tél. : 44 50 55 00.
Collectania = collection, collecte. Depuis 1974, Collectania propose une sélection exhaustive de mobilier d'auteurs pour la maison et le bureau au cœur du Louvre des Antiquaires. Parmi les classiques, Gio Ponti, Mackintosh, Le Corbusier ou Prouvé mais aussi Ettore Sottsass, Vittorio Livi et le système « top-office » créé par Interlübke, plus particulièrement destiné aux professions libérales, permettant de créer un bureau qui est un véritable espace à vivre.

ÉCART INTERNATIONAL
111, rue Saint-Antoine
75004 Paris. Tél. : 42 78 88 35.
Depuis 1979, l'architecte d'intérieur Andrée Putman s'est rendue célèbre en rééditant les meubles de certains décorateurs d'avant-guerre. La chaise, best-seller de Rob Mallet-Stevens, le guéridon éventail en fer forgé de Pierre Chareau, le projecteur et les lampes de table de Mariano Fortuny ou le miroir-satellite de Eileen Gray. La grande dame du design s'intéresse également aux jeunes créateurs, Paul Mathieu et Michael Ray, Patrick Naggar… Elle vient de signer une collection de lampes de bureau, dont une très appréciée avec plumier intégré dans le socle.

GALERIE MCDE
1, rue Saint-Benoît 75006 Paris
Tél. : 47 03 97 35.
Maxime Defert édite Chareau, son bureau d'acajou à piétement métallique (p. 51), ses tables gigognes, ses tabourets jusqu'aux fameuses lampes-religieuses avec leurs cornettes d'albâtre.
À la demande, le maître des lieux peut dessiner le bureau de votre choix, dans l'esprit de ceux de Pierre Chareau.

MACÉ
Liste des points de vente au (16) 45 72 24 88.
Daniel Linguanotto et Yves Macé présentent une collection de meubles « Galiléo » en noyer et merisier d'Amérique pour ceux qui travaillent à la maison dessinée par Irena Rosinski (p. 119) et un tout nouveau système de rangement « Vinci » conçu par Pagnon et Pelhaitre. Simplicité des matières et élégance des formes.

TECTA
18, rue Lassitte
75009 Paris
Tél. : 45 23 42 72.
Des rééditions de tables et fauteuils de Jean Prouvé, d'un bureau et d'une chaise de Marcel Breuer, des canapés et fauteuils de Walter Gropius. Diffusées par Meubles et Fonction.

VINCO
Liste des points de vente au 46 14 39 00.
Travaille fréquemment avec Sylvain Joly et propose des lignes de mobilier sobres, principalement en bois.

LES GÉNÉRALISTES

Une sélection de boutiques fantaisie, branchées, chaleureuses, chics... qui s'intéressent à l'environnement et à l'objet, et pas exclusivement à l'univers du bureau. Mais on pourra y trouver une chaise, une lampe, des meubles de rangement, un paravent, un porte-manteau et même un bureau...

ACTUA
Forum des Halles
12-14, rue Pirouette (Niveau 1-2)
75001 Paris
Tél. : 40 41 99 44.
Tapis contemporains, meubles et objets d'inspiration Arts déco.
4 boutiques à Paris.

ARREDAMENTO
18, quai des Célestins
75004 Paris
Tél. : 42 74 33 14.
Mobilier contemporain et objets.

AVANT-SCÈNE
4, place de l'Odéon
75006 Paris
Tél. : 46 33 12 40.
Le rendez-vous des créateurs contemporains pour de petites éditions de 8 à 25 unités.

COHÉRENCE
31, boulevard Raspail
75007 Paris
Tél. : 42 22 15 83.
Des meubles et objets pour la maison ou le bureau.

CONRAN SHOP
117, rue du Bac 75007 Paris
Tél. : 42 84 10 01.
Après avoir ouvert le premier magasin Habitat à Londres en 1964 et à Paris en 1974, Terence Conran lance un nouveau concept de magasin, le Conran Shop. Sélection d'accessoires et de meubles pour la maison et le bureau.

DESIGN SA
226, boulevard Saint-Germain
75007 Paris
Tél. : 42 22 40 89.
Une sélection d'objets et de meubles, notamment des tabourets pliants hauts ou bas.

DIAGONALE INDIGO
52, rue des Martyrs 75009 Paris
Tél. : 48 78 75 95.
Du mobilier contemporain pour la maison et le bureau ainsi que des rééditions du Bauhaus.

ÉDIFICE
27, boulevard Raspail
75007 Paris
Tél. : 45 48 53 60.
Sarah Nathan a commencé il y a onze ans en diffusant les premiers meubles de Philippe Starck. On trouve chez Édifice nombre de designers, notamment Antonio Citterio et ses fameux casiers montés sur roulettes en plastique acidulé édités par Kartell ou l'Anglais Ron Arad et son étagère flexible qui serpente le long des murs. Pour un bureau tonique !

EN ATTENDANT LES BARBARES
50, rue Étienne-Marcel
75002 Paris
Tél. : 42 33 37 87.
La galerie est une pépinière de jeunes talents, designers, céramistes...

FORUM DIFFUSION
55, rue Pierre-Demours
75017 Paris
Tél. : 43 80 62 00.
Large choix de meubles italiens édités par Cappellini, Moroso...

INTEMPORA
35, rue du Faubourg-Saint-Antoine 75011 Paris
Tél. : 43 43 06 80.
Notamment un bureau rognon en cerisier édité par Ceccotti.

L'ÉCLAIREUR
3 *ter*, rue des Rosiers 75004 Paris
Tél : 48 87 10 22.
Mélange savant de vêtements de créateurs et de meubles signés Fornasetti (notamment son célèbre tissu imprimé « livres »), Marc Newson, Ron Arad ou Borek Sipek.

MOLTENI
6, rue des Saints-Pères
75007 Paris
Tél. : 42 60 29 42.
Installé depuis les années 30 dans la région de Milan, cet industriel du bois collabore avec quelques-uns des meilleurs designers, Afra et Tobia Scarpa, Luca Meda, Aldo Rossi... Exception à la règle du bois, la table en métal que Jean Nouvel a dessinée pour les bureaux de l'immeuble Cartier, boulevard Raspail à Paris.

NÉOTÙ
25, rue du Renard 75004 Paris
Tél. : 42 78 96 97.
Créée en 1985, la galerie Néotù, à travers des expositions, présente régulièrement le travail de Martin Székély, Olivier Gagnère, Mattia Bonetti et Élizabeth Garouste ou François Bauchet, véritables références en matière de design français.
Et joue les découvreurs de talents en consacrant des expositions personnelles à des plus jeunes, comme Kristian Gavoille, Éric Schmitt, Éric Jourdan ou Vincent Beaurin. Parmi les collections de chacun, on trouve des tables, des bureaux et des lampes.

NORD SUD
Points de vente sur demande au 69 89 09 14.
Des bureaux en chêne ou en bois exotique à l'architecture simple et une étonnante collection de chaises aux dossiers inattendus en forme de cornes de zébu, mouflon ou gazelle pour la touche exotique.

OBJECTIF BOIS
83, rue du Cherche-Midi
75006 Paris
Tél. : 42 22 23 93.
Liste des points de vente au 42 29 03 61.
Pour une ambiance « Extrême-Orient », de magnifiques cloisons japonaises, des paravents, des claustras ou des tables basses.

PERSONA
47, rue de l'Université
75007 Paris
Tél. : 45 48 85 83.
Arlette Pérez a ouvert son espace il y a vingt ans, présentant pour la première fois les meubles et les objets édités par les Italiens Zanotta et Driade auxquels elle est restée fidèle.

PHILIPPE PARENT
23, rue de Bourgogne
75007 Paris
Tél. : 45 51 15 85.
Mobiliers, tapis, objets et luminaires.

PROTIS
153, rue du Faubourg-Saint-Honoré
75008 Paris
Tél. : 45 62 22 40.
Du mobilier de bureau pour l'entreprise ou la maison.
Par exemple, le bureau « Topaze » en hêtre teinté avec ses pieds en aluminium poli ou une crédence à plateau de verre.

QUART DE POIL
27, rue de Bièvre 75005 Paris
Tél. : 43 29 58 32.
Des meubles originaux de jeunes créateurs. Pour les adeptes du recyclé et la tendance écolo, le mobilier en carton d'Olivier Leblois. Par pliage, étagères, fauteuils et tables se montent en un clin d'œil. Pour la touche personnelle, prévoir un coup de pinceau !

ROCHE ET BOBOIS
197, boulevard Saint-Germain
75006 Paris
Tél : 45 48 46 21.
Des boutiques dans le monde entier, tous les styles pour tous les goûts.

SENTOU GALERIE
18 et 24, rue du Pont-Louis-Philippe
75004 Paris
Tél. : 42 71 00 01.
26, boulevard Raspail 75007 Paris
Tél. : 45 49 00 05.
On y retrouve les intemporels de Roger Tallon, de Charlotte Perriand ou Isamu Noguchi mêlés aux créations toutes récentes des Tsé-tsé associés (leur lampe « Cornette » est un des grands succès de l'année), Robert Le Héros ou Migeon et Migeon.

SHARLIDO
3, rue de la Bûcherie
75005 Paris
Tél. : 40 51 76 98.
Meubles de Sottsass, objets, paravents, tables et chaises.

TORVINOKA
4, rue Cardinal
75006 Paris
Tél. : 43 25 09 13.
Pour les objets et les meubles du grand architecte finlandais Alvar Aalto.

Des bureaux dans le jardin d'hiver pour joindre l'utile à l'agréable. Pourquoi pas ? Et pourquoi ne pas aller faire un petit tour du côté des boutiques de meubles pour le jardin ?

LE CÈDRE ROUGE
22, avenue Victoria
75001 Paris
Tél. : 42 33 71 05.
Spécialiste de l'aménagement en extérieur : tables et chaises en teck de grande qualité.

UN JARDIN EN PLUS
222, boulevard Saint-Germain
75007 Paris
Tél. : 45 44 18 67.
Des meubles de jardin mais aussi du mobilier peint, des tissus, des lampes, des objets et de belles fleurs artificielles.

LOCATION DE MEUBLES

Vous pouvez également louer du mobilier pour des manifestations ponctuelles, chez vous ou sur des salons.

VACHON
131, avenue P. Vaillant-Couturier
94253 Gentilly Cedex
Tél. : 47 35 26 30.
Depuis trente ans cette maison propose en location du mobilier contemporain : le fauteuil « Coste » de Philippe Starck, la chaise des Tuileries de Pascal Mourgue ou du mobilier signé Hilton Mac Connico ou Jean-Michel Wilmotte.
Idéal pour emprunter, le temps d'une manifestation, un décor atypique. C'est l'adresse attitrée des décorateurs de films qui trouvent leur bonheur dans un immense bric à brac où vous pouvez louer un décor complet de bureau Arts déco ou bureau Paramount.
Une visite à ne pas manquer.

VENTE PAR CORRESPONDANCE

HABITAT
Vente par correspondance sur catalogue et service conseil
3, rue du Petit-Clamart
BP 91 78143 Vélizy-Villacoublay
Tél. : 34 63 02 02.
Inutile de présenter Habitat, beaucoup de professions libérales et de petites entreprises ont pris l'habitude de se fournir ici. Signalons le merveilleux petit lit d'appoint « Siesta » qui se transforme en mini-table et serait peut-être très utile dans votre bureau le temps d'une pause entre deux rendez-vous ! Depuis quelques années, une ligne nouvelle « Habitat entreprises » sur le thème « parce que l'utile peut être beau, offrez le style Habitat à vos bureaux ».
Les classiques d'Habitat et de nouveaux modèles à des prix très raisonnables, dont un fauteuil pivotant en bois massif, de couleur vanille, vedette de la dernière collection.

IKEA
101, rue Pereire
78105 Saint-Germain-en-Laye
Tél. : 39 10 20 20.
Du mobilier à bas prix, et une gamme d'accessoires et de luminaires. Un nouveau service pour les entreprises. Ikea France Service par correspondance.

J.P.G.
95478 Fosses Cedex
Tél. : 34 68 39 40.
À signaler chez Jean Paul Guisset le spécialiste du mobilier, équipement et fournitures de bureau par correspondance, la série NOMAD, tables de réunion et bureaux avec table retour ronde, montés sur de drôles de pieds courbes, couleurs gaies et mini-prix.

UGAP
(Union des groupements d'achats publics)
1, boulevard Archimède
77444 Champs-sur-Marne
Tél. : 64 73 20 00.
Une gamme très étendue, à tous les prix, du bureau de la secrétaire au bureau de P-DG en passant par les équipements pour les collectivités. Bureau d'étude également : UGAP est réservée aux collectivités publiques, aux administrations et aux établissements publics.

Enfin, n'oublions pas les « grands » de la vente par correspondance, **LA REDOUTE** avec sa ligne SCENARIO pour recréer l'atmosphère d'un bureau ancien avec des meubles de rangement à rideau en chêne, et **LES TROIS SUISSES** qui présentent une gamme de mobilier et objets dessinés par les plus grands designers, Andrée Putman et Philippe Starck, entre autres, à des prix très raisonnables.

LES SIÈGES

Toutes les boutiques précédemment citées et bien entendu tous les spécialistes du mobilier de bureau proposent des fauteuils et des chaises.
Et aussi :

ÉTAT DE SIÈGE
1, quai de Conti 75006 Paris
Tél. : 43 29 31 60.
Incontournable. Des dizaines de sièges contemporains et plus de trois mille références en catalogue.

INTÉRIEUR CARTON
Rue des Carrières
34160 Saint-Genies-des-Mourgues
Tél. : 67 86 27 52.
Yvon Farrusseng a créé des meubles de qualité en sculptant le carton. Ses chaises ne dépareront pas un bureau.
On trouve ses meubles à la Samaritaine.

MOROSO
Spécialiste italien du « siège confortable » de toutes les couleurs, fauteuils, canapés ou chauffeuses dessinés par Massimo Iosa Ghini ou Ross Lovegrove, diffusés chez :
Signature,
34, avenue de l'Observatoire
75014 Paris
Tél. : 43 26 10 47.
Forum Diffusion,
55, rue Pierre-Demours
75017 Paris
Tél. : 43 80 62 00.

SUR MESURE

Enfin, si vous ne trouvez pas chaussure à votre pied, il vous reste la solution du sur-mesure.

LA MAISON DU GRANIT
18, boulevard Saint-Germain
75005 Paris
Tél. : 43 54 86 99.
Faites réaliser votre table ou votre sol en granit.

NAXOS
38, rue de Charonne
75011 Paris
Tél. : 49 29 07 26.
Marbre, granit mais aussi ardoise noire, etc.

QUANTA
7, rue de la Pyramide
28250 Senonches

Tél. : 37 37 79 00.
Cette fabrique de mobilier sur mesure réalise pour vous tous vos projets de bureau dessinés par votre architecte ou vous-même.

SANTANGELO
209-211, boulevard Saint-Germain 75007 Paris
Tél. : 45 48 09 61.
Toutes les techniques du marbre pour de magnifiques tables, un travail exceptionnel.

CHINE, ANTIQUAIRES ET GALERIES

S'offrir un bureau original (et non pas une réédition) d'un créateur des années 20, c'est possible, à condition d'avoir un peu de temps, de la patience et quelques moyens.

AU COMPTOIR DU CHINEUR
49, rue Saint-Paul 75004 Paris
Tél. : 42 72 47 39.
Des années 30 aux années 50, une sélection d'objets et de meubles.

ARMÉE DU SALUT
12, rue Cantagrel 75013 Paris
Tél. : 45 83 34 40.

CATHERINE ET STÉPHANE DE BEYRIE
5, rue Saintonge 75003 Paris
Tél : 42 74 47 27.
Des bureaux de Jean Prouvé.

EMMAÜS
2 *bis*, avenue de la Liberté
94220 Charenton-le-Pont
Tél. : 48 93 25 33.

ÉRIC PHILIPPE
25, galerie Véro-Dodat
75001 Paris
Tél. : 42 33 28 26.
Spécialiste du mobilier des années 40.

GALERIE ANNE-SOPHIE DUVAL
5, quai Malaquais 75006 Paris
Tél. : 43 54 51 16.
Mobilier des années 20 à 30.

GALERIE DOWN TOWN
33, rue de Seine 75006 Paris
Tél. : 46 33 82 41.
Le spécialiste des meubles de Jean Prouvé, Charlotte Perriand, Pierre Jeanneret, etc.

GALERIE JEAN-JACQUES DUTKO
13, rue Bonaparte 75006 Paris
Tél. : 43 26 96 13.
Le spécialiste Arts déco avec de splendides bureaux de Rob Mallet-Stevens, Eugène Prinz, Michel Dufet, etc.

GALERIE JOUSSE SEGUIN
5, rue des Taillandiers
75011 Paris
Tél. : 48 06 10 06.
32, rue de Charonne
75011 Paris
Tél. : 47 00 32 35.
Des meubles de Jean Prouvé, Charlotte Perriand, Mouille, Jouve, Jeanneret.

GALERIE LOFT
3 *bis*, rue des Beaux-Arts
75006 Paris
Tél. : 46 33 09 29.
Collection d'objets en bakélite, notamment leurs fameuses lampes « Jumo » (p. 53).

GALERIE VALLOIS
41, rue de Seine
75006 Paris
Tél. : 43 29 50 55.
Des meubles de Ruhlmann, Printz, Rateau, Chareau, Franck...

L'HOMME DE PLUME
18, rue Duret 75016 Paris
Tél. : 45 01 93 87.
« L'Homme de Plume » est un antiquaire très spécialisé, avec des bureaux extraordinaires et de merveilleux accessoires, encrier, plumier, loupe, coupe-papier, etc.
(p. 111 et p. 120).
À Saint-Ouen au marché Malassis 142, rue des Rosiers, premier étage.
Tél. : 40 11 49 33.

MAKASSAR-FRANCE
Le Louvre des Antiquaires,
2, place du Palais-Royal
4 et 5, allée Thomire
75001 Paris
Tél. : 42 61 57 79.
De l'ivoire, du galuchat, de l'acajou pour Ruhlmann, Leleu, Dufet.
Des lampes également des années 20 à 35.

MARIA DE BEYRIE
23, rue de Seine
75006 Paris
Tél. : 43 25 76 15.
Du mobilier signé Ruhlmann, Chareau ou Jourdain.

VIES PRIVÉES
120, boulevard Raspail
75006 Paris
Tél. : 45 49 18 31.
Un spécialiste du mobilier et des luminaires des années 30.

LUMINAIRES

Quelques adresses de magasins, remarquables par l'étendue de leur choix, ou au contraire pour leur sélection très personnelle.

ARTEMIDE
6-8, rue Basfroi 75011 Paris
Tél. : 43 67 17 17.
Distribue entre autres la célèbre « Tizio », de Richard Sapper (p. 116) et l'étonnante « Cricket » de Riccardo Blumer.

ARLUMIÈRE
8, avenue Victoria
75004 Paris
Tél. : 42 71 23 42.

ATELIER JEAN PERZEL
3, rue de la Cité-Universitaire
75014 Paris
Tél. : 45 88 77 24.
Réédition de luminaires des années 30 (p. 116).

BAGUÈS
41, rue Michel-Carré
95100 Argenteuil
Tél. : 39 47 90 90.

CONTRE COURANT
12, rue des Halles 75001 Paris
Tél. : 42 33 38 04.

CHRYSALIDE
82, rue Jouffroy-d'Abbans
75017 Paris
Tél. : 43 80 02 10.

DELISLE
4, rue du Parc-Royal
75003 Paris
Tél. : 42 72 21 34.
Le haut de gamme de l'éclairage classique, fournisseur des grands hôtels parisiens.

DES LAMPES
9, rue de Verneuil
75007 Paris
Tél. : 40 20 02 58.
Belles lampes de bureau en bronze faites à la main.

DOM CREATION DESIGN
252, boulevard Saint-Germain
75005 Paris
Tél. : 45 48 22 86.

ESPACE LUMIÈRE
48, rue Mazarine 75006 Paris
Tél. : 43 54 06 28.
17, rue des Lombards
75001 Paris
Tél. : 42 77 47 71.

ELECTRORAMA
11, boulevard Saint-Germain
75005 Paris
Tél. : 43 29 31 30.

LUMIÈRE ET FONCTION
284, boulevard Raspail
75014 Paris
Tél. : 43 35 30 42.
Les classiques italiens et les jeunes créateurs français. La nouvelle ligne « Le compas dans l'œil » de lampes de bureau, époxy gris et abat-jour papier. Signée Andrée Putman et éditée par Lumess.

SAMI SADER
30, rue Montrosier
92200 Neuilly-sur-Seine
Tél. : 46 24 65 58.
Pour les lampes en aulne naturel ou teintées de cet architecte d'intérieur qui peut également concevoir tout le bureau autour de la lampe.

VOLT ET WATT
29, boulevard Raspail
75007 Paris
Tél. : 45 48 29 62.
Des lampes et lampadaires contemporains, bien sûr, mais aussi des paravents.

Et une adresse pratique :
Syndicat national des fabricants de luminaires
8, rue Saint-Claude
75003 Paris
Tél. : 42 78 48 05.

ACCESSOIRES

Comme pour le mobilier, on peut s'en remettre à des spécialistes, se fournir dans des boutiques de luxe ou s'approvisionner ailleurs dans les grands magasins, les boutiques spécialisées dans la décoration de la maison, pour trouver une corbeille, un porte-manteau, des pots à crayons, des dévideurs de Scotch, des porte-cartes, des corbeilles à dossiers, des trieurs à papiers, etc.
Nous avons distingué les fabricants et les boutiques.

LES ÉDITEURS

ALESSI
Liste des points de vente au
42 66 14 61.
Des objets pour la maison dont un grand nombre à détourner éventuellement pour le bureau comme le plat à escargots de Stefano Giovannoni, parfait pour les trombones ou comme vide-poche.

CARTOFORM
Points de vente en écrivant,
17-19, rue Feuillat 69000 Lyon
Tél. : 78 54 14 41.
Cette firme qui crée depuis des années des accessoires de bureau élégants et sobres en carton : porte-lettres, corbeilles à papier, bac à courrier, etc., s'est lancée cette année dans les petits meubles modulables en bois blond. Plein d'astuces, ingénieux et fonctionnels, aux tiroirs colorés, ils sont une solution idéale pour créer un coin bureau à la maison.

DANESE
Chez Xanadou, 10, rue Saint-Sulpice, 75006 Paris
Tél. : 43 26 73 43,
ou encore à la boutique du centre Georges-Pompidou,
Tél. : 44 78 12 33.
Enzo Mari, Bruno Munari, Achille Castiglioni, quelques-unes des plus grandes signatures du

design pour redessiner les indispensables du bureau : cendrier, corbeille, coupe-papier, vide-poche...

EDWOOD
Le bois fait un retour en force dans le mobilier de bureau et il trouve sa place également sur le bureau grâce aux accessoires « Edwood ». Un design de qualité, des formes rondes et douces pour des plumiers, vide-poches à couvercle, porte-cartes, supports à Post-it, pendulettes, trieurs à courrier, caissons à tiroirs. Un beau sous-main en érable massif et médium. Une gamme de compositions compactes à choisir en fonction de ses besoins. Un étonnant sous-main enroulable bois et cuir avec barre érable massif plumier, aimants porte-clips, porte-cartes de visite, porte-crayons. Design Jean-Pierre Vitrac (p. 39 et p. 119).
Liste des points de vente :
Société Morbier Bois
BP n° 1 39400 Morbier
Tél. : (16) 84 33 11 79.

FAYOLLE
7, rue de Médicis 75006 Paris
Tél. : 43 54 80 29.
Le spécialiste du rangement pour le bureau.

GENEXCO
Bois et acier perforé noir ou de couleur. Ici, le plastique est inconnu.
Liste des points de vente :
BP 36, 37250 Montbazon Cedex
Tél. : 47 34 02 02.

MANADE
6, rue Richepanse 75001 Paris
Tél. : 42 96 61 41.
Fabricant français, Manade produit et commercialise des luminaires, les portemanteaux de J.-P. Vitrac et des collections d'accessoires principalement en ABS, produit plus cher que le polypropylène mais nettement plus résistant. Beaucoup de coloris, même si le noir garde la vedette, et les collections Corolle, Arthéo.

REXITE
Bruneau, Tél. : 64 46 02 02 ou
JPG, Tél. : 34 68 39 40.
Des designers et des matériaux variés : fonte d'aluminium ou plastique. À noter la corbeille à papiers astucieuse dessinée par Raul Barbieri.

RUBBERMAID
Pour obtenir le catalogue ou la liste des points de vente :
Rubbermaid, accessoires de bureau : 12-14, rue des Osiers 78310 Coignières
Tél. : 34 61 82 22.
Pour les amateurs de produits « ergonomiques » destinés à la micro-informatique, tels que repose-pieds, repose-poignets, et toute une gamme complète de « tapis-souris » personnalisables, la série Rubbermaid. Toujours dans cette gamme, il existe des produits malins pour le bureau comme cette patère qui s'accroche à une porte.

LES BOUTIQUES

L'ART DU BUREAU
47, rue des Francs-Bourgeois
75004 Paris
Tél. : 48 87 57 97.
Doris di Maria, directrice de la boutique, propose un large choix de stylos, objets pour le bureau et maroquinerie plutôt « design ». Notamment toute la ligne d'accessoires d'Yves Blayo en verre et métal ainsi que des « tapis-souris » pour micro-ordinateur aux dessins insolites. Deux ou trois modèles de lampes de bureau en métal, originales et belles.

BOUTIQUES PARIS MUSÉE
1, rue Pierre-Lescot 75001 Paris
Tél. : 40 26 56 65.
Pour quelques petits accessoires (stylos, calculettes, etc.) et une étonnante lampe-mètre articulée (Aha et associés).
Nombreux points de vente, entre autres au Forum des Halles.

CARTIER
51, rue François-Ier 75008 Paris
Tél. : 40 74 61 85.
Une gamme luxueuse d'objets de bureau : un encrier en cristal clair avec capuchon en cristal dépoli, des pendulettes d'inspiration Arts déco, des agendas en cuir et un large choix de stylos.

COMPAGNIE FRANÇAISE DE L'ORIENT ET DE LA CHINE
163, boulevard Saint-Germain
75007 Paris
Tél. : 45 48 00 18.
Multitude de boîtes, corbeilles ou cache-pots en bambou, céramique ou laque à transformer en vide-poches, pots à crayons ou autres fourre-tout indispensable sur un bureau.

HERMÈS
24, faubourg Saint-Honoré
75008 Paris
Tél. : 40 17 47 17.
Une valeur sûre, qu'il est inutile de présenter pour les accessoires, et les agendas. Mais aussi la gamme « Pippa » et ses meubles pliants dessinés par Réna Dumas. Méridienne, sièges et tabourets pliants gainés de cuir, paravents et un ravissant petit bureau pliant de voyage en poirier étuvé massif.

MARIN
70, avenue Gabriel-Péri
BP 51, 94115 Arcueil Cedex
Tél. : 47 40 04 20.
Depuis un demi-siècle Marin fabrique du matériel pour artistes peintres. Une idée originale pour orner un bureau : un pupitre à poser en chêne ciré.

PUIFORCAT
22, rue François-Ier
75008 Paris
Tél. : 47 20 74 27.
2, avenue Matignon
75008 Paris
Tél. : 45 63 10 10.
Des accessoires de bureau de style Arts déco ou contemporain, en bois et métal argenté : porte-lettres, timbales à crayons, plateaux à courrier, cadres, loupes et stylos en argent. Sobre et masculine, la ligne « Kigoma » s'impose par son originalité.

STYLOS ET ENCRES

À L'ENCRE VIOLETTE
9-11, rue de Thorigny
75003 Paris
Tél. : 42 74 74 44.
Pour ses flacons anciens et ses encriers, etc.

CORRESPONDANCES
Pyramide, galerie du Musée du Louvre 75001 Paris
Tél. : 40 20 02 73.
34, boulevard de Vaugirard
75015 Paris
Tél. : 42 79 23 27.
Les boutiques Correspondances créées par le musée de la Poste proposent des éditions inspirées des collections du musée et des réalisations contemporaines.

GET A PEN
30, rue Dauphine
75006 Paris
Tél. : 46 33 32 50.

L'ÉCRITOIRE
61, rue Saint-Martin
75004 Paris
Tél. : 42 78 01 18.

LE PASSAGE
83, rue du Cherche-Midi
75006 Paris
Tél. : 42 22 26 46.
Pour ses accessoires anciens, coupe-papiers, loupes, encriers, etc.

LES CRAYONS DE JULIE
17, rue de Longchamp
75016 Paris
Tél. : 44 05 02 01.

MONTBLANC
60, rue du Faubourg-Saint-Honoré
75008 Paris
Tél. : 40 06 02 93.
C'est le maître du stylo.
On peut faire estimer un modèle ancien ou le faire réparer.
Cette firme a créé une collection d'accessoires de bureau « Meisterstück » aussi fonctionnels qu'esthétiques à partir des matériaux les plus nobles : argent, cristal ou plomb, qui peuvent être gravés aux initiales de l'utilisateur.
Montblanc édite également des agendas et des conférenciers.

MORA
7, rue de Tournon
75006 Paris
Tél. : 43 54 99 19.

SHEAFFER
8, rue Martel 75010 Paris
Tél. : 45 23 08 35.
Outre les stylos, cette firme propose une gamme d'accessoires de bureau très séduisante : « Nostalgia », d'après un modèle des années 20, décoré de volutes en argent massif sur fond noir, et également des bases écritoires, reproductions de modèles anciens.

PAPIERS ET AGENDAS

Une rue entière à parcourir pour le plaisir et pour découvrir de merveilleux papiers, des plus classiques, l'Ingres, aux plus exotiques, japonais ou chiffon, des crayons, mines ou couleur, des stylos aux fines plumes et des encriers de jadis : la rue du Pont-Louis-Philippe, mais aussi...

ARMORIAL
98, faubourg Saint-Honoré
75008 Paris
Tél. : 42 65 08 18.
À deux pas du Palais de l'Elysée, créations classiques de grand luxe.

BELLEGARDE
6-8, rue Nicolau BP 150
93400 Saint-Ouen
Tél. : 49 45 28 28.
Une gamme de « paper-board » originaux, ces objets habituellement si laids mais indispensables, et des dossiers en cartons, chemises, etc.

CALLIGRANE
4 et 6, rue du Pont-Louis-Philippe
75004 Paris
Tél. : 48 04 31 89.

CASSEGRAIN
422, rue Saint-Honoré
75008 Paris
Tél. : 42 60 20 08.
Une sélection de beaux objets, papiers, stylos et accessoires de bureau (p. 119), dont une ligne en cuir très spectaculaire.

FILOFAX
32, rue des Francs-Bourgeois
75003 Paris

Tél. : 42 78 67 87.
Le fameux agenda modulaire décliné dans toutes sortes de versions.

LE JOUR ET L'HEURE
3, rue Perronet 75007
Tél. : 42 22 96 11.
58, rue de Babylone 75007
Tél. : 45 55 53 34.
Ces deux boutiques proposent la gamme « Smythson », maison londonienne célèbre créée en 1887. La finesse du cuir, la qualité du papier font des agendas, carnets et accessoires, des objets irrrésistibles.

MAISON GAUBERT
28, place Dauphine
75001 Paris
Tél. : 42 33 35 86.

MARIE-PAPIER
26, rue Vavin
75006 Paris
Tél. : 43 26 46 44.

MÉLODIES GRAPHIQUES
10, rue du Pont-Louis-Philippe
75004 Paris
Tél. : 42 74 57 68.

PAPETERIE HONORIS CAUSA
15, rue Claude-Bernard
75005 Paris
Tél. : 45 35 62 70.

PAPETERIE SAINT SABIN
16 et 18, rue Saint-Sabin
75011 Paris
Tél. : 47 00 78 63.

PAPIER PLUS
9, rue du Pont-Louis-Philippe
75004 Paris
Tél. : 42 77 70 49.
Pour ses boîtes de rangement ou d'archives recouvertes de toile ou de papier kraft.

STERN
47, passage des Panoramas
75002 Paris
Tél. : 45 08 86 45.
L'intérieur de la boutique est un des plus beaux que l'on puisse voir à Paris. Créé dans la seconde moité du XIXe siècle, ce décor est un écrin précieux pour les papiers à en-tête, cartes gravées, etc.

MAROQUINERIE

Dans cette rubrique on trouvera tout aussi bien les grandes maisons célèbres pour leurs accessoires de bureaux que des artisans, ces gainiers qui savent si bien refaire le cuir d'un bureau ancien ou une porte capitonnée.

ATELIER PHILIPPE MARTIAL
8, rue du Général-Guilhem
75011 Paris
Tél. : 47 00 71 72.
Il compte, parmi ses clients, Hermès. Artisan renommé qui réalise à la demande sous-main, boîtes à courrier, boîtes de rangement gainées de cuir.

CHALMETTE
55, boulevard Raspail
75006 Paris
Tél. : 45 48 45 23.
Depuis 1907, des articles et accessoires de bureau gainés de cuir, avec dorures à vos initiales ou non.

DUPRÉ SIGNATURE
141, rue du Faubourg-Saint-Honoré
75008 Paris
Tél. : 45 61 50 71.
Sous-main, articles de bureaux, agendas et stylos.

GILBERT ROTIVAL
64, rue de Turenne
75003 Paris
Tél. : 42 72 20 32.
Classé meilleur ouvrier de France, Gilbert Rotival crée et restaure garnitures de bureau, abattants de secrétaire et dessus de bureau (sous-main, classeurs, casiers à courrier, etc.).

LEWIS ET FILS
18, rue du Moulin-Joly
75011 Paris
Tél. : 43 57 45 28.
Doreur sur cuir.

M.H.WAY
17, rue des Saints-Pères
75006 Paris
Tél. : 42 60 81 65.
Maroquinerie et objets « design ».

MICHEL FEY
15, avenue Daumesnil
75012 Paris
Tél. : 43 55 68 46.
À San Francisco, Californie, U.S.A 2254 Clement Street
Gainier d'ameublement, dorure sur cuir. Il propose des cuirs patinés pour rénover vos meubles anciens, habiller vos meubles ordinaires ou vos vulgaires dossiers en carton et décorer votre bureau.

PHILIPPE GAINERIE
63, avenue Ledru-Rollin
75012 Paris
Tél. : 43 43 93 73.
Pour habiller votre bureau et vos accessoires de cuir.

ROUX MARCHET
Rue de la 12e-Artillerie
88100 Saint-Dié
Liste des points de vente au (16) 29 52 30 70.
Le plus classique des fabricants de maroquinerie de bureau. De la lampe de bureau à la corbeille, en passant par la pendulette, le sous-main et
les porte-ciseaux, des parures gainées de cuir.

VUITTON
78 *bis*, avenue Marceau
75008 Paris
Tél. : 47 20 47 00.
54, avenue Montaigne
75008 Paris
Tél. : 45 62 47 00.
La célèbre maison ne se contente pas des bagages; elle crée également des objets gainés de cuir pour le bureau : agendas, sous-main, vide-poches, plumiers…

OBJETS ANCIENS

Une commode-bureau de marine en acajou, mais aussi une magnifique collection de planisphères anciens, des dents de cachalot et des défenses de morse, des maquettes de voiliers, des instruments scientifiques, des objets de marine, des armes anciennes... Tout pour décorer votre bureau.

AUX ARMES DE FURSTENBERG
1, rue de Furstenberg
75006 Paris
Tél. : 43 29 79 51.
Deux autres boutiques à Paris et une à Nice.

OBJET INSOLITE
109, boulevard Beaumarchais
75003 Paris
Tél. : 42 71 30 94.

THIERRY LAURENT
65, rue de la Verrerie
75004 Paris
Tél. : 42 72 27 26.
Antiquités, marine et mobilier de bateau.

POUR ORNER LES MURS

Tables, chaises, luminaires et stylos, encriers et sous-main. L'essentiel est choisi. Mais il reste encore quelques petits détails à régler. Voici quelques magasins spécialisés pour vous aider à décorer vos murs de façon originale.

À L'IMAGERIE
9, rue Dante 75005 Paris
Tél. : 43 25 18 66.
Une boutique exclusivement consacrée à l'affiche ancienne de tous formats sur tous les sujets.

ARCHÉTYPE
17, rue des Francs-Bourgeois
75004 Paris
Tél. : 42 72 18 15.
Une galerie créée en 1983 et spécialisée dans les dessins d'architectes, avec un grand choix de reproductions, gravures, dessins originaux de colonnes doriques, chapiteaux, détails d'architecture ou envois de Rome, relevés de façade, et perspectives. Service d'encadrement.

ARTCURIAL
9, avenue Matignon
75008 Paris
Tél. : 42 99 16 16.
Galerie qui édite des tapis, des bijoux, de la vaisselle et des objets de décoration signés par des artistes, Sonia Delaunay, Da Silva Bruhns, Giacomo Balla, Roberto Matta, Les Lalanne. Attenante aux espaces d'exposition, une librairie où sont proposées nombre de lithos et d'affiches d'artistes contemporains.

FLAMMARION 4
17-19, rue Visconti
75006 Paris
Tél. : 44 41 19 60.
Une sélection d'affiches, de reproductions et de sérigraphies sur tous les sujets.

NOUVELLES IMAGES ÉDITEURS
6, rue Dante 75005 Paris
Tél. : 43 25 62 43.
Un immense choix d'affiches (encadrées ou non) sur les thèmes les plus variés.

LES TAPISSERIES

Restauration de tapisseries anciennes, réalisation de tapisseries contemporaines, vous pouvez même apporter votre modèle pour le faire faire, tout est possible.

TAPISSERIES ROBERT FOUR
Manufacture à Aubusson
et 28, rue Bonaparte,
75006 Paris
Tél. : 43 29 30 60.

LES TABLEAUX

Si vous aimez changer votre décor, si vous avez envie d'alterner ou de mélanger originaux et affiches encadrées ou de découvrir de jeunes artistes, et surtout si vous ne voulez pas vous occuper de l'encadrement, de l'accrochage ou de l'assurance... faites appel à une société spécialisée dans la location de tableaux.
La plupart proposent plusieurs options : location simple, location avec option d'achat, vente, etc.

ART ENTREPRISE ET COMMUNICATION
52 *bis*, avenue d'Iéna
75116 Paris
Tél. : 47 23 55 95.

Location, achat d'œuvres d'art contemporain encadrées (et de reproductions) ou organisation d'événements ponctuels. Pour tous les types de budget.

ART ACTUEL
6, rue de Lisbonne
75008 Paris
Tél. : 45 22 01 66.
Diffuse des œuvres contemporaines et vous les prête pour un an, mais aussi des meubles, des lampes, exclusivement réalisés par des sculpteurs, de belles pièces uniques. Leur mot d'ordre : « Faites souffler un courant d'art dans vos bureaux. »

LE BUREAU ENCADRÉ

GALERIE ELYETTE PEYRE
5, rue Visconti
75006 Paris
Tél. : 43 26 42 59.
Mettez votre bureau dans un cadre, à la maison ou encore votre maison au bureau, pourquoi pas ? Marie-Thérèse Le Vert, qui expose dans cette galerie, s'est spécialisée dans la peinture de votre pièce préférée : bureau couvert de papiers, ou bibliothèque regorgeant de livres. Elle travaille les techniques anciennes (aquarelle sur ivoire, huile sur cuivre). Marie-Thérèse Le Vert se rend sur place et exécute une commande dans un délai de six mois environ (p. 148).

CADRES ET MIROIRS

ANNICK LEBRUN
155, faubourg Saint-Honoré
75008 Paris
Tél. : 45 61 14 66.
Bois sculptés, cadres et miroirs anciens. Un fond impressionnant dans un cadre étonnant.

SOLS ET MURS

CRUCIAL TRADING
35, boulevard Saint-Germain
75005 Paris
Tél. : 40 51 05 66.
Propose uniquement des revêtements « naturels », en sisal, jonc de mer, coco, jute et coton. Un choix immense pour des matériaux peu utilisés dans les espaces tertiaires et c'est dommage.
Showroom également à Londres et Hambourg.

Pour les tissus, deux rues à parcourir à Paris dans le 6e arrondissement : la rue Bonaparte, avec parmi d'autres :

BESSON
Au numéro 32
Tél. : 40 51 89 64.
Avec quelques trompe-l'œil sur tissu présentés dans une ambiance d'appartement.

NOBILIS-FONTAN
Au numéro 38
Tél. : 43 29 12 71.
L'incontournable depuis 1925, tissus et papiers peints dessinés par les plus grands, mais aussi par de jeunes créateurs.

Et la rue de Furstenberg, avec notamment :

MANUEL CANOVAS
5, rue de Furstenberg
75006 Paris
Tél. : 43 26 89 31.
Le seul créateur qui dessine et édite lui-même ses tissus depuis plus de vingt-cinq ans.

Sans oublier :

BRAZET TAPISSIER
22, rue des Belles-Feuilles
75006 Paris
Tél. : 47 27 20 89.
Spécialiste de la tapisserie et de la tenture murale, Rémy Brazet travaille de manière traditionnelle, aussi bien pour le château de Fontainebleau et les musées que pour les particuliers.
Pour votre bureau il pourra réaliser une porte capitonnée à l'ancienne en cuir ou en tissu.

ÉTAMINE
63, rue du Bac
75007 Paris
Tél. : 42 22 03 16.
Pour ses tissus et ses rideaux, bien sûr, mais aussi pour sa gamme de lampes et d'objets.

MADURA
66, rue de Rennes
75006 Paris
Tél. : 45 44 71 30.
Uniquement du « prêt à poser » pour les impatients ou les paresseux... Des boutiques partout en France, à Anvers et à Athènes.

LES TAPIS CONTEMPORAINS

JULES FLIPO
49 *bis*, rue Sainte-Anne
75002 Paris
Tél. : 47 03 44 77.
Avec quelques signatures comme Andrée Putman et Manuel Canovas.

SAM LAIK
Liste des points de vente au 42 41 13 63.
Créations d'Élisabeth Garouste et Mattia Bonetti, Sylvia Corette, Katherine Roumanoff, Jacques Luzeau...

TOULEMONDE-BOCHART
10, rue du Mail
75002 Paris
Tél. : 40 26 68 83.
À leur catalogue, des créations de Hilton Mac Connico, Andrée Putman, Didier Gomez...

QUINCAILLERIE

La poignée de porte signe votre décor, la quincaillerie de vos armoires de rangement le détruit parfois... Des adresses pour éviter quelques erreurs :

BAROU DAGUE
15, rue Mézières
75006 Paris
Tél. : 45 44 00 66.
Une petite boutique avec une belle sélection de quincaillerie, stylos et accessoires.

LA QUINCAILLERIE
4, boulevard Saint-Germain
75005 Paris
Tél. : 46 33 66 71.

STORES ET VOILAGES

À ne pas négliger : l'habillage des fenêtres, pour des considérations esthétiques mais aussi pour prendre soin de vos yeux, mis à l'épreuve par le travail sur micro-ordinateur.

Les grands magasins et particulièrement le **B.H.V.**
52 à 64, rue de Rivoli
75004 Paris
Tél. : 42 74 90 00.

BAUTEX
155, rue de la Pompe
75016 Paris
Tél. : 45 53 80 90.

MODO FRANCE
11, rue du Forest
75018 Paris
Tél. : 42 93 56 93.
Sur rendez-vous uniquement, le spécialiste du store vénitien en bois.

ROUSSEL STORES
177, boulevard Haussmann
75008 Paris
Tél. : 43 59 33 14.

PLANTES VERTES ET FLEURS

Le décor est à peu près en place. Reste la petite touche finale à apporter : la note de verdure. Le fleuriste du quartier sera probablement très heureux d'étudier votre problème, mais il existe aussi des sociétés spécialisées qui proposent des fleurs fraîches ou artificielles, et un service d'entretien ainsi que différentes formules de financement.

BUREAU FLORE
90, rue de l'Ourcq 75019 Paris
Tél. : 40 35 08 66.
Propose des fleurs en tissu, plus vraies que nature, mais aussi des plantes et fleurs naturelles.

JARDINS DE GALLY
Ferme de Vauluceau 78870 Bailly. Tél. : 39 63 20 20.
« Mettez du vert dans votre image! », Jardins de Gailly s'occupe de l'intérieur comme des extérieurs. Vente, contrats d'entretien, locations, abonnements, etc.

PAYSAGES ET FORÊTS
52, rue du Landy
93400 Saint-Ouen
Tél. : 40 12 22 13.
Conception, réalisation et suivi pour l'intérieur comme pour l'extérieur.

TRUFFAUT SERVON
Ferme de Servon RN 19, 77170 Servon. Tél. : 64 05 30 26.
Sous une vaste serre, des milliers de plantes et fleurs, artificielles et naturelles.

Et aussi :

CHRISTIAN TORTU
6, carrefour de l'Odéon
75006 Paris
Tél. : 43 26 02 56.
"Le" fleuriste parisien... aux merveilleuses compositions.

CRÉATION VERDISSIMO
63, avenue Daumesnil
75012 Paris
Tél. : 43 40 26 26.
De vrais plantes, feuillages et branches stabilisés et des compositions extraordinaires.

DESPALLES
76, boulevard Saint-Germain
75005 Paris
5, rue d'Alésia
75014 Paris
Tél. : 45 89 05 31.
87, avenue Niel
75017 Paris
Des végétaux rares, des plantes, une gamme de mobilier de jardin et des poteries de toutes tailles brutes ou vernissées.

IKEBANA
70-72, boulevard Saint-Germain
75005 Paris.
Tél. : 43 26 69 56.
Objets décoratifs et bonsaïs (avec un service d'entretien).

PARIS BONSAÏ
91, rue de la Croix-Nivert
75015 Paris
Tél. : 45 32 22 69.

LA VIE QUOTIDIENNE

Boire un café, ou une boisson fraîche, grignoter un en-cas, toutes choses indispensables à la vie quotidienne au bureau. Pour obtenir le guide annuaire des fabricants de distributeurs de boissons s'adresser au :
NAVSA, Syndicat national de ventes et service automatique,
34 , rue Boursault 75017 Paris
Tél. : 43 87 71 91.

TEKA
42, rue Diderot 93500 Pantin
Tél. : 48 91 37 88.
Le spécialiste de la kitchenette à intégrer dans un placard, un couloir ou un débarras.

Il est très en vogue, aujourd'hui, de se réunir tout en déjeunant. Quelques adresses pour ne pas mourir de faim :

Les classiques :

FLOPRESTIGE
42, place du Marché-Saint-Honoré
75001 Paris
Tél. : 42 61 45 46.
Téléphoner la veille de préférence pour avoir le choix entre une quinzaine de plateaux complets différents.

LENÔTRE
Pour commander, téléphoner au 41 18 34 34. Le choix est vaste entre les plateaux Bureau (sans entrée), Affaires (avec entrée), Végétarien ou Prestige.

Les exotiques :

L'ASIE À VOTRE TABLE
30, rue Gabriel-Péri
93310 Le Pré-Saint-Gervais
Tél. : 48 40 50 30.

Pour les manifestations exceptionnelles :

CHAMPAGNE ORGANISATION
10, rue Boileau
75016 Paris
Tél. : 45 24 27 90.

FEUILLANTINES
13, rue Spontini 75116 Paris
Tél. : 47 27 60 47.

POTEL ET CHABOT
3, rue de Chaillot 75116 Paris
Tél. : 47 20 22 00.

GÉRER LE CHANGEMENT

De nombreux spécialistes peuvent vous accompagner dans vos projets de changement. Voici quelques repères et quelques indications sur des métiers parfois peu connus qui touchent à l'organisation des espaces de travail.

LE DÉMÉNAGEMENT

Vos locaux sont trop petits, inadaptés, etc. Vous ne pouvez plus rester là. Des entreprises vous proposent différents services : la mission de ces sociétés en management et aménagement va du simple conseil à l'étude de faisabilité et au montage d'opération jusqu'à la construction de bâtiments clés en main.

AUGUSTE THOUARD CONSEIL
24, rue Jacques-Ibert
92300 Levallois-Perret
Tél. : 47 59 20 00.

BOSSARD CONSULTANTS
14, rue Rouget-de-Lisle
92441 Issy-les-Moulineaux Cedex
Tél. : 41 08 40 00.

CABINET BENOIT
8, rue Jasmin 75016 Paris
Tél. : 45 20 42 42.

EURO RSCG DESIGN
84, rue de Villiers
92683 Levallois-Perret Cedex
Tél. : 41 34 34 34.

IMMOCONCEPT
7, rue Scribe 75009 Paris
Tél. : 47 42 46 40.

LES SPACE-PLANNERS

S'entourer des conseils de « space-planners », équipes pluridisciplinaires d'architectes, d'économistes, d'ingénieurs, de consultants, etc. Ce sont les spécialistes de la réflexion sur l'environnement du travail. Leur intervention permet une meilleure utilisation de l'espace. Ils analysent l'activité de votre société, son organisation et sa culture et définissent les postes de travail types. Ils réalisent les études de faisabilité, d'implantation du personnel et vous conseillent pour l'aménagement de l'espace et sa décoration.
Certaines de ces sociétés ne font pas uniquement du « space-planning » mais offrent des services complémentaires, tels que design du produit, évaluation d'immeubles, réhabilitation ou, au contraire, interviennent plus en amont du projet en réalisant la programmation, etc.
Les « space-planners » ne sont pas concurrents des architectes mais complémentaires.
Ils interviennent en amont puis en collaboration avec l'architecte choisi.

DEGW Espace et Architecture
43, rue Bobillot 75013 Paris
Tél. : 45 89 38 39.

DEGW
Porters North 8 Crinan Street
London N1 9SQ Angleterre
Tél. : (44) 71 239 77 77.
DEGW est présent aux Pays-Bas, en Belgique, à Madrid et à Milan.

DOMINIQUE TESSIER
40, rue Gutenberg
93500 Le Pré-Saint-Gervais
Tél. : 48 43 86 87.

DSB
188, rue de la Roquette 75011 Paris
Tél. : 43 79 65 20.

MAJORELLE,
10, rue Notre-Dame-de-Lorette
75009 Paris,
Tél. : 42 81 34 19.

QUATRE PLUS
5, rue Legouvé 75010 Paris
Tél. : 42 08 80 00.

PROJECTIVE
Jérôme Galetti, Projective Space Management
56, rue Jean-Jacques 75001 Paris
Tél. : 40 41 98 00.

VOLUMES ET COULEURS
167, rue de la Pompe 75016 Paris
Tél. : 47 04 33 41.

LES ARCHITECTES

Il est évidemment impossible de donner une liste exhaustive des 20 000 architectes français...
Il est toujours possible de se reporter à l'Ordre des architectes.
En voici quelques-uns, dont nous avons parlé, montré les réalisations, ou qui ont marqué l'histoire des bâtiments de bureaux par leurs projets, ou encore qui nous ont reçus pour notre enquête.
Que tous ceux qui ne sont pas nommés ne nous en veuillent pas.

ORDRE DES ARCHITECTES,
Conseil national
7, rue de Chaillot 75116 Paris
Tél. : 47 23 81 84.

Andrault et Parat
76, rue Vieille-du-Temple
75003 Paris
Tél. : 42 77 44 24.

Jacques Barda
32, rue d'Argoult 75002 Paris
Tél. : 42 33 30 80.

Berthier architectes
54, boulevard Pasteur
75015 Paris
Tél. : 43 20 66 71.

Paul Chemetov
4, square Masséna 75013 Paris
Tél. : 45 82 85 48.

Odile Decq et Benoît Cornette
110, rue Saint-Honoré
75001 Paris
Tél. : 42 36 95 41.

Franck Hammoutene
10, rue des Lyonnais 75005 Paris
Tél. : 43 31 00 90.

Nouvel et Cattani
4, cité Griset 75011 Paris
Tél. : 43 38 92 72.

Claude Parent
94 *bis*, rue de Longchamp
92200 Neuilly
Tél. : 47 22 20 24.

Dominique Perrault
26, rue Bruneseau 75013 Paris
Tél. : 44 06 00 00.

Reichen et Robert
6, rue Huyghens
75014 Paris
Tél. : 43 20 36 83.

Renzo Piano
34, rue des Archives
75004 Paris
Tél. : 42 78 00 82.

Saubot et Jullien
12, avenue Jean-Jaurès
92120 Montrouge
Tél. : 46 55 63 33.

Valode et Pistre
23, rue du Renard 75004 Paris
Tél. : 42 78 48 95.

LES ARCHITECTES D'INTÉRIEUR ET LES DESIGNERS

Comme pour les architectes, figurent ici ceux dont nous avons parlé dans le livre ou le carnet. Que les autres, tout aussi talentueux, nous pardonnent.

Marc Alessandri
4, avenue Adrien-Hébrard
75016 Paris
Tél. : 45 27 27 44.

Jean-Louis Berthet
127, boulevard Malesherbes
75017 Paris
Tél. : 42 67 00 18.

Marc Berthier
141, boulevard Saint-Michel
75005 Paris
Tél. : 43 26 49 97.

Réna Dumas
5, rue du Mail 75002 Paris
Tél. : 42 60 04 82.

« Elixir » Thierry Blet et Catherine Le Téo
21, rue Tournefort
75005 Paris
Tél. : 43 37 86 84.

Isabelle Hebey
13-15, rue Villehardouin
75003 Paris
Tél. : 42 72 80 79.

Pascal Mourgue
34, rue de Lappe
75011 Paris
Tél. : 43 55 86 11.

Andrée Putman/ECART
111, rue Saint-Antoine
75004 Paris
Tél. : 42 78 88 35.

Frédéric Jentgen
38, rue Lantiez
75017 Paris
Tél. : 42 63 45 45.

Roger Tallon
84, rue de Villiers
92683 Levallois-Perret Cedex
Tél. : 41 34 34 34.

Tribel
68, allée D.-Milhaud
75013 Paris
Tél. : 40 18 32 69.

Jean-Michel Wilmotte
68, rue du Faubourg-Saint-Antoine
75012 Paris
Tél. : 43 42 50 00.

LES CONSULTANTS

Psychosociologues, sociologues ou architectes de formation, ils travaillent en équipe et interviennent en entreprise pour faire le lien entre l'organisation du travail et l'aménagement des espaces, pour préparer un changement d'organisation ou de localisation, le gérer et l'accompagner, etc.

Bertrand Giraud consultants
79, rue d'Aguesseau
92100 Boulogne
Tél. : 46 05 47 69.

Élisabeth Pélegrin Genel
17, rue des Francs-Bourgeois
75004 Paris
Tél. : 42 72 80 72.

Thierry Pillon
158, boulevard Vincent-Auriol
75013 Paris
Tél. : 45 86 39 65.

LES AGENCES DE COMMUNICATION GLOBALE

Identité visuelle, design d'environnement, packaging, design produit, signalétique, image, etc. En un mot aider les entreprises à découvrir les points forts de leur personnalité, à définir leur stratégie d'image et à la mettre en œuvre.
Voici quelques adresses d'agences de communication globale :

DESIGN STRATÉGY
60, rue d'Avron 75020 Paris
Tél. : 44 64 20 00.

ENFI DESIGN
26, rue Bertholet 75005 Paris
Tél. : 44 08 77 44.

VITRAC DESIGN
60, rue d'Avron 75020 Paris
Tél. : 40 64 20 00.

VOLCAN
18, rue Saint-Marc 75002 Paris
Tél. : 45 08 00 57.

LES ORGANISMES

ANACT
Agence nationale pour l'amélioration des conditions de travail.
7, boulevard Romain-Rolland
92128 Montrouge
Tél. : 42 31 40 40.
Établissement public créé en 1973, son objectif est d'améliorer conjointement la situation des salariés et l'efficacité des entreprises. L'ANACT édite une revue mensuelle qui traite les questions du travail pour mieux le comprendre et tenter de le transformer.
Abonnement au 40-41, quai Fulchiron 69005 Lyon
Tél. : (16) 72 56 13 13.

CENTRE SCIENTIFIQUE ET TECHNIQUE DU BÂTIMENT
Département sciences humaines, Division prospective de l'habitat et de la construction.
Michel Bonetti
4, avenue du Recteur-Poincaré
75016 Paris
Tél. : 40 50 28 28.

DÉPARTEMENT ERGONOMIE ET ÉCOLOGIE HUMAINE DU CEP DE L'UNIVERSITÉ PARIS-I
Directeur François Hubeault
162, rue Saint-Charles
75740 Paris Cedex 15
Tél. : 45 57 60 37.
La revue ***PERFORMANCES HUMAINES ET TECHNIQUES*** rend compte régulièrement des séminaires organisés par ce département.
24, rue de Nazareth
31000 Toulouse
Tél. : (16) 61 32 11 75.

LABORATOIRE DE RECHERCHE « ESPACES DU TRAVAIL »
Sous la direction de Thérèse Evette, des recherches et des publications sur les lieux de travail.
Unité pédagogique d'architecture de Paris,
La Villette, 144, avenue Flandre
75019 Paris
Tél. : 44 65 23 61.

PLAN LIEUX DE TRAVAIL ET CONSTRUCTIONS PUBLIQUES
La vocation du **Plan Construction et Architecture** est de promouvoir la recherche. Plusieurs thèmes chaque année sur le logement, la ville, l'environnement ou le travail, etc. Le plan lieux de travail et constructions publiques intégré au programme Cités-Projets a donné lieu à une série de publications très intéressantes.
Ministère de l'Aménagement du Territoire, de l'Équipement et des Transports.
Arche de la Défense-Nord 92055 Paris la Défense Cedex 04
Tél. : 40 81 21 22.

UNIFA/SYMSO
Syndicat des fabricants de Mobilier.
28 *bis*, avenue Daumesnil
75012 Paris.
Tél. : 44 68 18 00.
Sous son égide, des publications sur l'espace tertiaire et son aménagement.

VIA
29-37, avenue Daumesnil
75012 Paris. Tél. : 46 28 11 11
4, cours du Commerce-Saint-André 75006 Paris
Tél. : 43 29 39 36.
Association pour la valorisation de l'innovation dans l'ameublement créée en 1979 par le ministère de l'Industrie et le Comité de développement des industries françaises de l'ameublement.
Soutient la création en favorisant les échanges entre les industriels du meuble et les designers, permet grâce aux cartes blanches et aux appels permanents de distinguer les meilleurs créateurs en leur donnant la possiblité de réaliser des prototypes en les finançant, organise régulièrement des expositions...

LES SALONS ET MANIFESTATIONS

Chaque année ou tous les deux ans quelques grands salons professionnels :

BÂTIMAT ET BÂTIMAT DÉCOR
En novembre.
Organisateur : Salon Bâtimat
70, rue Rivey
92532 Levallois-Perret Cedex
Tél. : 47 56 50 00.

BUREAU CONCEPT EXPO
En septembre, tous les deux ans.
Tous les fabricants du mobilier de bureau et les professionnels de l'espace de travail s'y retrouvent.
Organisateur :
COSP, 22, avenue Franklin-Roosevelt 75008 Paris
Tél. : 40 76 45 00.

SALON DES ARTISTES DÉCORATEURS
Tous les deux ans.
Grand Palais, Porte H, avenue Winston-Churchill
75008 Paris
Tél. : 43 59 66 10.

SICOB
Salon international de la communication et de l'organisation du bureau.
Organisateur :
Comité des expositions de Paris
55, quai A.-Le Gallo, BP 317,
92107 Boulogne-Billancourt
Tél. : 49 09 60 00.

SIPPA
Salon international de la papeterie et de la bureautique.
Organisateur :
62, rue de Miromesnil
75008 Paris
Tél. : 49 53 27 00.

SALON INTERNATIONAL DE DISEGNO
Traversa de Dalt, 82,
08024 Barcelone Espagne
Tél. : 34 32 10 52 00.

SALON MONOGRAPHIQUE DU MOBILIER DE BUREAU-AMO
Place de l'Espana 18, Planta 7
n° 1, 28 008 Madrid
Tél. : 34 542 42 12.

MUSÉE

VITRA DESIGN MUSEUM,
Charles Eames Strasse 1,
79 576 Weil am Rhein
Allemagne.
Tél. : 76 2 70 22 00.
Un superbe musée blanc, construit en 1989 par Franck Gehry, à l'initiative de Rolf Fehlbaum, le PDG de Vitra Design. Il collectionne, depuis 1953, chaises, mobiliers et objets d'architectes et de designers, (certains sont édités par Vitra) et organise des expositions remarquables. Un lieu à découvrir (p. 65).

OUVRAGES GÉNÉRAUX

Bédarida M., Milatovic M., *Immeubles de bureaux*, Paris, Éditions du Moniteur, collection « Architecture thématique », 1991.

Brooks Pfeiffer B., *Frank Lloyd Wright*, Cologne, Taschen, 1994.

Créer des espaces de bureau, ouvrage collectif sous la direction de J. Claude, Strafor, Nouveaux Horizons, Paris, Nathan, 1982.

Conception de lieux de travail, ouvrage collectif, introduction de Thérèse Evette, Paris, Éditions du Centre Pompidou, CCI, collection « Culture au quotidien », 1984.

Delpeuch J.L., Lauvergeon A., *Sur les traces des dirigeants*, Paris, Calmann-Lévy, 1988.

Fischer G.N., *Psychologie des espaces de travail*, Paris, Armand Colin, collection « U », 1989.

Le Culte de l'entreprise, mutations et valeurs, ouvrage collectif, Paris, Autrement, n° 100, septembre 1988.

L'Empire du bureau, 1900-2000, ouvrage collectif, catalogue de l'exposition, musée des Arts décoratifs, CNAP, Berger-Levrault, Paris, février 1984.

Lieux de travail, conception du catalogue Alain Guilheux, Paris, Éditions du Centre Pompidou, CCI, 1986.

Ragon M., *Histoire de l'architecture et de l'urbanisme modernes*, Paris, Points Essais, 1986.

UNIFA, *Guide de l'aménagement de bureaux*, introduction de Frédérique de Gravelaine, Paris, Éditions du Moniteur, 1990.

GUIDES

900 Adresses pour faire restaurer meubles et objets anciens par Bardinet B., Ribes P., Paris, La Maison Rustique, 1994.

TOUT PARIS
The Source Guide to the Art of French Decoration par Patricia Twohill Lown et David Lown. Un bon guide en anglais que vous trouverez facilement au marché aux puces de Saint-Ouen.

LITTÉRATURE

Balzac H. de., *Les Employés* (1838), Paris, La Pléiade, tome 8, Gallimard.

Buron N. de., *Les Pieds sur le bureau*, Paris, J'ai lu, 1965.

Cohen A., *Belle du Seigneur*, Paris, Gallimard, 1965.

Courteline G., *Messieurs les ronds-de-cuir*, Paris, Flammarion, 1921.

Revues
Espace-Bureau, toute la collection.
(Service diffusion, 17, rue d'Uzès. 75002 Paris).

Le Monde-Initiatives.
Les Échos-Management.
Libération-Avenirs.
Intramuros.

CHAPITRE 1 UNE BRÈVE HISTOIRE

Chicago, 150 ans d'histoire, ouvrage collectif, Ante Glibota, Frédéric Edelman, Paris, Art center, 1983.

Duby G., *Saint Bernard et l'art cistercien*, Arts et métiers graphiques, Paris, Flammarion, 1976.

Eleb-Vidal Monique, Debarre-Blanchard Anne, *Architecture de la vie privée, XVII-XVIIIe siècle*, Bruxelles, Éditions AAM, 1989.

Hector Horeau, catalogue de l'exposition, supplément aux Cahiers de la recherche architecturale, n° 3, Paris.

Martin Henri-Jean, *Histoire et pouvoirs de l'écrit*, collection « Histoire et décadence », Paris, Perrin, 1988.

Naissance de l'écriture, cunéiformes et hiéroglyphes, catalogue de l'exposition Grand Palais, Paris, Éditions de la Réunion des musées nationaux, 1982.

Pinchon Jean-François, *Les Palais d'argent, l'architecture bancaire en France de 1850 à 1930*, Paris, Éditions de la Réunion des musées nationaux, 1992.

Poitrineau Abel, *Ils travaillaient la France, métiers et mentalités du XVe au XIXe siècle*, Paris, Armand Colin, 1992.

Zeldin Théodore, *Histoire des passions françaises*, tome 1, « Amour et ambition », Paris, Encres, collection « Recherches », 1978.

Revues
Architecture Intérieure-Créé, le petit glossaire du bureau, n° 198, janvier-février 1984.

Architecture Intérieure-Créé, l'empire du bureau en question, article de Jacques de Monclan, n° 253, avril-mai 1983.

CHAPITRE 2 LES CRÉATEURS DESSINENT LE BUREAU

Au bonheur des formes, design français, 1945-1992, ouvrage collectif sous la direction de François Mathey, Paris, Éditions du Regard, 1992.

Bangert A., Armer K.M., *Design, les années 80*, Paris, Éditions du Chêne, 1990.

Barré-Despond Arlette, *Jourdain, Frantz, Francis, Frantz Philippe*, Paris, Éditions du Regard, 1988.

Berthet J.L., Khalifa J.P., Styles, *Les Années 90*, Paris, Syros. Alternatives, 1990.

Breton P., *Histoire de l'informatique*, Paris, La Découverte, 1990.

Brunhammer Y., *Le Style des années 30 à 50*, Paris, Les Éditions de l'illustration, 1987.

Calloway S., *L'Époque et son style. La décoration intérieure au XXe siècle*, Paris, Flammarion, 1988.

Camard F., *Ruhlmann*, Paris, Éditions du Regard, 1983.

Design : le geste et le compas, ouvrage collectif sous la direction de Jocelyn de Noblet, Paris, Sonogy, 1988.

Design, miroir du siècle, ouvrage collectif sous la direction de Jocelyn de Noblet, Paris, Flammarion ACPI, 1993.

Droste M., Ledewig M., *Marcel Breuer*, Berlin, Taschen, 1992.

Duncan A., *Mobilier Arts déco*, Paris, Éditions Vilo,1985.

Encyclopédie du Bauhaus, école du design, Paris, Somogy, 1985.

Goguel S., *René Herbst, 1891-1982*, Paris, Éditions du Regard, 1990.

Johnson Gross K., Stone J., *Desk*, coll. chic simple, Londres, Thames and Hudson Ltd, 1994.

Kjellberg P., *Arts déco, les maîtres du mobilier*, les Éditions de l'Armateur, Paris, 1981.

Lucie-Smith Edward, *Histoire du mobilier*,« L'Univers de l'art ». 15, Londres, Thames and Hudson, 1990.

Loewy R., *La laideur se vend mal*, Paris, Gallimard, 1963.

Mallet-Stevens, ouvrage collectif, Paris, Éditions des Archives d'Architecture moderne, 1980.

Mamerd F., *Michel Dufet, architecte décorateur*, Paris, les Éditions de l'Amateur,1988.

Rousseau F.O., *Andrée Putman*, Paris, Éditions du Regard,1989.

Starck, Cologne, Taschen, 1991.

Sembach K.J., *Henry Van de Velde*, Paris, Hazan, 1989.

Valley Marc et Frampton Kenneth, *Pierre Chareau, architecte-ensemblier 1883-1950*, Paris, Éditions du Regard, 1984.

Wilmotte, Paris, Éditions du Moniteur, 1993.

Wilk C., *Frank Lloyd Wright, The Kauffmann Office*, Londres, The Victoria and Albert Museum, 1993.

Wright F.L., *Projets et Réalisations*, Paris, Haselen, 1986.

Revues
Le Journal pour rire, 22 octobre 1853.

CHAPITRE 3 ESPACE ET HIÉRARCHIE

Bachelard G., *La Poétique de l'espace*, Paris, Quadrige, PUF,1957.

Foucault M., *Surveiller et punir*, Paris, Gallimard, 1975.

Hall E., *La Dimension cachée*, Paris, Points collection « Civilisation », 1971.

Lévy-Leboyer C., *Psychologie*

et Environnement, Paris, PUF, 1980.

Evette Thérèse, ouvrage collectif, *L'Architecture tertiaire en Europe et aux États-Unis*, Paris, ministère de l'Équipement, des Transports et du Logement, Plan Construction et Architecture, juin 1992.

Revues
Bureaux de France, interview d'Yves Liétard, décembre 1989.
Le Monde Initiatives, « François et sa chaise de bois », 6 juillet 1994.

Sunday Time, « Is your office working ?», article de Rachel Cooke, 8 janvier 1995.

Rey E., *Les Tours bureaux*, coll. « Le Point d'une question », Paris, ANACT, 1980.

CHAPITRE 4
LE DÉCOR DU BUREAU

De Singly F., Thélot C., *Gens du privé, gens du public, la grande différence*, Paris, Dunod, 1988.

Machines à écrire, des claviers et des puces, la traversée du siècle, ouvrage collectif, Autrement n° 146, Paris, juin 1994. (Notamment l'article de Lisa Fine, « La machine a-t-elle un sexe ? »).

Rossbach S., *Feng-shui, l'art de mieux vivre dans sa maison*, Paris, Souffles, 1995.

Rybczynski Witold, *The most Beautiful House in the World*, Penguin Books, USA, 1989.

Revues
Bureaux de France, interview de Georges Ferran, novembre 1989.

Bureaux de France, interview d'Hubert Cohen, décembre 1989.

Elle, « Les relations sexuelles au bureau », article de David Eyler, 21 novembre 1994.

Le Monde Initiatives du 6 octobre 1994, notamment l'article de M.B. Baudet.

Sunday Time du 8 janvier 95, « Is your office working ? ». Rachel Cooke.

CHAPITRE 5
LES BUREAUX
DU POUVOIR

Adler Laure, *Les Femmes politiques*, Paris, Le Seuil, 1993.

Chiflet J.L., Garagnoux M., *FDG, le guide du futur directeur général*, Paris, Hermé, 1986.

Galletti J., *Aux lieux du bureau, tendances du space-planning aux États-Unis*, ministère de l'Équipement, des Transports et du Logement, Plan Construction et Architecture, Recherches n° 23, Paris, 1992.

Giroud F., *La Comédie du pouvoir*, Paris, Fayard, 1977.
Hall E., *Comprendre les Japonais*, Paris, Le Seuil, 1994.

Murat L., *Palais de la Nation*, Paris, Flammarion, 1992.

Revues
L'Express, « Comment les femmes exercent le pouvoir ? », article de Jacqueline Remy, 3 octobre 1991.

Espace-Bureau, « Le trône et l'autel », article de Pierre Voisin, et le dossier sur les bureaux de managers, n° 5, octobre 1990.

CHAPITRE 6
LE BUREAU
À LA MAISON

Freud S., *Lieux, visages, objets*, Paris, Éditions Complexe, Gallimard, 1979.

Lovatt-Smith Lisa, *Intérieurs parisiens*, Cologne, Taschen, 1994.

Rollin André, *Ils écrivent où ? quand ? comment ?* Paris, Mazarine, 1986.

Prémoli-Droulers F., *Maisons d'écrivains*, préface de Marguerite Duras, Paris, Éditions du Chêne, 1994.

Savignaud J., *Marguerite Yourcenar, l'invention d'une vie*, Paris, Gallimard biographies, 1990.
Writers and their Houses, essays by modern writers, Hamish Hamilton, LTD, 1993.

Revues
Espace-Bureau n° 28, interview d'Isabelle Hebey.

CHAPITRE 7
LE BUREAU DE DEMAIN

Ettinghoffer D., *L'Entreprise virtuelle : les nouveaux modes de travail et leurs incidences sur l'espace de bureau de demain*, Paris, Odile Jacob, 1993.

Gonthier G., *Le Télétravail, vague de fond ou engouement passager*, Centre d'études de l'emploi, dossier 4, nouvelle série, 1994.

Racine G., *Quand nos grands-pères imaginaient l'an 2000*, Paris, Nathan, 1991.

Revues
Aldaia, « Le bureau du futur », Monica Beltrametti, n° 5, octobre 1994.

A venir, « Nous n'irons plus au bureau », n° 2, septembre 1994.

Choquet J et Keller P., *Emplois parisiens et déplacements domicile travail.*

Jardin des Modes, « L'agence Chiat Day », Charles-Arthur Boyer, décembre 1994.

Le Courrier International, « Le vélo tout communicant », juin 1992.

Le Monde Initiatives, « Dossier l'entreprise nomade », 9 mars 1994.

Le Point, Bureaux : « Le grand ménage », par Romain Gubert, n° 1168, 4 février 1995.

Libération, « IBM-France met ses salariés "nomades" au télétravail », article de Nicole Pénicaut, 12 octobre 1993.

Libération, « Mercredi, le jour du télétravail », article de Sylvaine Villeneuve, 26 septembre 1994.

Libération Multimédias du 10 mars 1995, article de Luc Vachez.

V.S.D., « L'homme-bureau existe, nous l'avons rencontré », n° 905, 5 février 1995.

Divers
Courcelle J., *Dictionnaire du cinéma*, Paris, R. Laffont, Bouquins, 1992.

Deletraz F., *Le Paris de l'introuvable*, Paris, Lattès, 1995.

Dictionnaire illustré des designers du vingtième siècle, Paris, CELIV, 1992.

CRÉDITS PHOTOGRAPHIQUES

Couverture G. Fessy ; dos de la couverture, du haut en bas : Victoria & Albert Museum ; Gebrüder Thonet/Vitra Design Museum ; J.P. Godeaut ; Vitra Design Museum ; p. 1 P. Zachmann/Magnum Photos ; p. 2 The Bettmann Archive ; p. 4-5 H. Cartier-Bresson/Magnum Photos ; p. 6 BFI/Stills ; p. 8/9 Bridgeman Art Library ; p. 10 et 11 Giraudon/Musée du Louvre ; p. 12 L. Ricciarini ; p. 13 Giraudon ; p. 14 Bridgeman Art Library/Christie's ; p. 15 Bridgeman Art Library/Stapleton Coll. ; p. 16 en haut : A. Ader ; en bas : UCAD/photo Sully-Jaulmes ; p. 17 C. Simon-Sykes/The Interior Archive Ltd ; p. 18 Giraudon/Musée des Beaux-Arts de Lille ; p. 19 en haut : Roger-Viollet ; en bas : The Bettmann Archive ; p. 20 en haut : UCAD/photo Sully-Jaulmes ; en bas : RMN/Fontainebleau/Malmaison ; p. 21 E. Lessing/Magnum Photos ; p. 22 R. Stoeltie/The World of Interiors ; p. 23 K. Haavisto ; p. 24 National Portrait Gallery/Hill & Saunders ; p. 25 en haut : DR/Flammarion ; en bas : Coll. Walter ; p. 26 J.C. Martel/Archipress ; p. 27 Marcatré/« la Civilta degli Uffici » ; p. 28 en haut : P. Aprahamian ; en bas : D. Czap/Top ; p. 29 The Bettmann Archive ; p. 30-31 Victoria & Albert Museum ; p. 32 en haut : Roger-Viollet ; en bas : Kobal Collection ; p. 33 : The Bettmann Archive ; p. 34 à gauche : R. Bryant/Arcaid ; à droite : The Bettmann Archive ; p. 35 Museum of the City of New York/Byron Coll. ; p. 36 en haut : Keystone ; en bas : Retrograph/M. Breeze ; p. 37 The Bettmann Archive ; p. 38 en haut : Gebrüder Thonet/Vitra Design Museum ; en bas : Marcatré/« la Civilta degli Uffici » ; p. 39 en haut : Roger-Viollet ; en bas : Edwood/Morbier Bois/Vitrac Design Strategy/photo : N. Peron ; p. 40 en haut : Buffalo and Erie Historical Society ; en bas : F. Llyod Wright Foundation, Arizona, c 1995 ; p. 41 à gauche : Buffalo and Erie Historical Society ; à droite : F. Llyod Wright Foundation, Arizona, c 1995. ; p. 42 en haut : Ezra Stoller/Esto ; en bas : Steelcase Photolab ; p. 43 Arrell-Grehan/Arcaid ; p. 44 RMN/Musée d'Orsay ; p. 45 Glasgow School of Art et Gebrüder Thonet/Vitra Design Museum (à gauche) ; p. 46-47 UCAD/ photo Sully-Jaulmes ; à gauche : Michael Parkin Fine Art Gallery/Londres ; p. 48 en haut : the Architect's Journal/EMAP Architecture ; en bas et à gauche : Bauhaus Archiv, Berlin/photo : G. Lepkowski et J. Schilgen ; en bas à droite : Gebrüder Thonet/Vitra Design Museum ; p. 49 Bauhaus Archiv, Berlin/photo L. Monoly et G. Lepkowski ; p. 50 UCAD/photo Sully-Jaulmes ; p. 51 en haut : E. Le Tourneur ; en bas : UCAD/photo Sully-Jaulmes ; p. 52 J.P. Godeaut ; p. 52-53 J. Dirand ; p. 54 en haut : S. Tise et Flammarion ; en bas : UCAD/photo Sully-Jaulmes ; p. 55 en haut : Flammarion ; au centre et en bas : S. Tise ; p. 56 en haut : V. Thfoin ; en bas : P. Hinous/Top/Musée d'Art moderne de Paris ; p. 57 J.P. Godeaut ; p. 58 Flammarion/F.Morellec et Thierry M. ; p. 59 en haut : Hulton Deutsch Coll. ; en bas : Coll. Bavoillot ; p. 60 Galerie Gastou/photo M. Routhier ; p. 61 en haut : UCAD/photo Sully-Jaulmes ; à droite : Flammarion/F. Morellec et Thierry M. ; en bas : Galerie Gastou ; p. 62 Knoll International ; p. 63 Metropolitan Museum of Art, New York ; p. 64 en haut et en bas : Keystone ; au centre : Fondation d'architecture de Bruxelles/photo S. Rouenne ; p. 65 en haut : Vitra Design Museum ; au centre : Galerie Gastou ; en bas : Flammarion/F. Morellec et Thierry M. ; p. 66 en haut : V. Thfoin ; à gauche : Néotù ; en bas : Abitare il Tempo ; p. 67 R. Bryant/Arcaid ; p. 68 en haut : Vitra Design Museum/H. Hansen ; en bas : P. Cook/Archipress ; p. 69 Vitra Design Museum ; p. 70-71 H. Cartier-Bresson/Magnum Photos ; p. 72 C. Sarramon ; p. 73 G. Mudford Studio, L.A. ; p. 74 en haut : Keystone ; en bas : H. Cartier-Bresson/Magnum Photos ; p. 75 R. Frank/courtesy of Pace & Mac Gill Gallery, New York ; p. 76 en haut : The Bettmann Archive ; en bas : BFI/Stills ; p. 77 Goursat/Rapho ; p. 78-79 G. Fessy ; p. 80 J. Darblay ; p. 81 en haut : P. Carieri/Tecno ; en bas : G. Fessy ; p. 82 P. Aprahamian ; p. 83 en haut : D. Von Schaewen ; en bas : Ch. de Rudder ; p. 84 en haut : H. Blessing ; en bas : Marcatré/« la Civilta degli Uffici » ; p. 85 R. Doisneau/Rapho ; p. 86 The Bettmann Archive ; p. 86-87 Coll. J. Trauner ; p. 88 P. Canino/Ecart ; p. 89 BFI/Stills ; p. 90 I. Hebey ; p. 91 S. Cardella/photo D. Glomb ; p. 92 Central Beheer ; p. 93 Groupe Bouygues ; p. 94 M. Riboud/Magnum Photos/Centraal Beheer ; p. 95 J.P. Couderc/l'Express ; p. 96-97 G. Fessy ; p. 98 Hulton Deutsch Coll. ; p. 99 en haut : The Bettmann Archive ; en bas : Retrograph/M. Breeze ; p. 100 en haut : Roger-Viollet ; en bas : Retrograph/M. Breeze ; p. 101 Kobal Collection ; p. 102 The Norman Rockwell Museum at Stockbridge/Thomas Rockwell ; p. 103 en haut : BFI/Stills ; à droite : Kobal Collection. ; p. 104 Walker Art Center, Minneapolis/M. Walker Fund ; p. 105 en haut : Retrograph/M. Breeze ; en bas : The Bettmann Archive ; p. 106 BFI/Stills ; p. 107 en haut : Kobal Coll. ; en bas : The Bettmann Archive ; p. 108 BFI/Stills ; p. 109 E. Erwitt/Magnum Photos ; p. 110 en haut : J. Morris Picture Library ; en bas : D. Brun/Esquire ; p. 111 en haut et à gauche : Flammarion/F. Morellec et Thierry M. ; en bas : National Trust Photo Library/A. von Einsiedel ; p. 112 en haut : D. von Schaewen ; en bas : The Bettmann Archive ; p. 113 UGAP/Catalogue 1992-1993 ; en bas : Carlo de Carli/Marcatré ; p. 114 en haut : GMP, Hambourg ; en bas et p. 115 : Derwig/Karbouw ; p. 116 en haut : S. Tise ; en bas : UCAD/photo Sully-Jaulmes ; p. 117 en haut : C. Frost ; en bas : D. von Schaewen ; p. 118 Studios Architecture/photo P. Warchol ; p. 119 en haut : Macé ; au centre : Edwood/Morbier Bois/Vitrac Design Strategy/photo : N. Peron ; en bas : Flammarion/F. Morellec et Thierry M. ; p. 120 F. Morellec et Thierry M./Flammarion ; p. 121 G. de Chabaneix/Courtesy of Conran Octopus ; p. 123 R. Beaufre/Top ; p. 124 Vitra Design Museum/photo M. Zagnoli ; p. 126-127 R. Bryant/Arcaid ; p. 128 M. Riboud/Magnum Photos ; p. 129 R. Bryant/Arcaid ; p. 130-131 C. Capa/Magnum Photos ; p. 132 The Bettmann Archive ; p. 133 F. von der Schulenburg/World of Interiors ; p. 134 G. Fessy ; p. 135 Keystone ; p. 136 G. Fessy ; p. 137 P. Hinous/Top ; p. 138-139 G. Fessy ; p. 140 C. Beaton/Imapress/Camera Press Ltd ; p. 141 en haut : C. Beaton/Imparess/Camera Press Ltd ; en bas : G. Fessy ; p. 142 Munchner Stadtmuseum Fotomuseum ; p. 143 en haut : Kobal Collection ; en bas : BFI/Stills ; p. 144 Cosmos/Pedro Coll ; p. 145 Kobal Collection ; p. 146 BFI/Stills ; p. 147 C. Capa/Magnum Photos ; p. 148 en haut : Coll. Le Blan/huile sur cuivre de M.T. Le Vert ; en bas : P. Aprahamian ; p. 149-150 G. Fessy ; p. 151 Arnold Newman Studios Inc., c 1995 ; p. 152 Flammarion ; p. 153 D. von Schaewen ; p. 154-155-156-157 G. Fessy ; p. 158 en haut : BBC/D. Secombe ; en bas : Keystone ; p. 159 Giraudon/Musée d'Orsay/Spadem, c 1995 ; p. 160 en haut : C. Sarramon ; en bas : J.P. Godeaut ; p. 161 P. Lipmann ; p. 162-163 J. Primois/Vogue Decoration ; p. 164 en haut : R. Beaufre/Top ; en bas : P. Canino ; p. 165 S. Vergano/Bofill ; p. 166-167 Studios Architecture ; p. 168-169 J.P. Godeaut ; p. 170 Retrograph/M. Breeze ; p. 171 en haut : B. Touillon/SIP ; en bas : P. Chevallier/Top ; p. 172 J.P. Godeaut ; p. 173 E. Bright/Top ; p. 174 en haut : R. Bryant/Arcaid ; en bas : J. Dirand ; p. 175 D. von Schaewen ; p. 176-177 J. Dirand/SIP ; page de droite, en haut : N. Haas/Stylograph ; en bas : J. Dirand/Elle Décoration ; p. 178 en haut : Keystone ; en bas : Giraudon/Archives Larousse ; p. 179 P. Aprahamian ; p. 180 en haut : J. Darblay/Stylograph ; en bas : Giraudon/Archives Larousse ; p. 181 A. Davidson/Arcaid ; p. 182 K. Haavisto ; p. 183 J. Dirand/Elle Décoration ; p. 184 à gauche : Le Tourneur d'Ison ; à droite et en bas : J. Darblay ; p. 185 J. Darblay ; p. 186 en haut : G. Bouchet ; en bas : J.P. Godeaut ; p. 187 J. Darblay ; p. 188 Keystone ; p. 189 E. Lennard ; p. 190 en haut : S. Abell/Cosmos ; en bas : P. Zachmann/Magnum Photos ; p. 191 Giraudon/Archives Larousse ; p. 192 E. Lennard ; p. 193 C. Sarramon ; p. 194 National Trust Photo Library ; p. 195 R. Bryant/Arcaid ; p. 196 Karl May Museum, Dresden ; p. 197 Giraudon/Archives Larousse ; p. 198-199 E. Lennard ; à droite : H. List/Magnum Photos ; p. 200 en haut : J.P. Godeaut ; en bas : C. Sarramon/SIP ; p. 201 J.P. Godeaut ; p. 202-203 à gauche : H. Cartier-Bresson/Magnum Photos ; à droite : G. Freund ; p. 204 B. Glinn/Magnum Photos ; p. 205 National Trust Photo Library ; p. 206-207 G. Fessy ; p. 208 et 211 Digital Equipment Corporation ; p. 212 S. Cardella/N. Merrick/H.Blessing Inc. ; p. 213 R. Richter/Architekturphoto ; p. 214-215 D. Brun ; p. 216 Studios Architecture ; p. 217 D. Brun/Esquire ; p. 219,220,221 Workshop/Olivetti/Philips 1993 ; p. 222 British Telecommunication ; p. 223 Rolls Royce Motorcars Ltd, Crewe ; p. 225 Marcatré/« la Civilta degli Uffici » ; 4ème de couverture : Victoria and Albert Museum ; Gebrüder Thonet et Vitra Design Museum ; J. Dirand.

INDEX

REMERCIEMENTS

Je remercie tout d'abord Ghislaine Bavoillot, véritable ange gardien de ses auteurs, et toute l'équipe de Flammarion, particulièrement Claire Lamotte. Et tous ceux qui ont bien voulu répondre à mes questions et m'ont ouvert les portes de leur bureau.

Je tiens à remercier Dominique Pelegrin et Laurence Salmon ainsi que Francis Andriveau, Jacques Beer Gabel, Isabelle Behaghel, Andrée Bel, Cabinet Benoit, Philippe Breton, Paul Cuchet, Sophie Debure, Pierre-Olivier Drège, Catherine Doyard, Jacques Flat, Michel Francony, Charles Gancel, Michèle Gendreau Massalou, Isabelle Hebey, D. Maréchal et P. Joly, Laurent Mauduit, Jean Meunier, Alice Morgaine, Pascale Piquet, Jean Prémesnil.

L'éditeur a une dette de reconnaissance envers tous ceux qui on fait découvrir des bureaux où règne l'art de vivre ; en premier lieu Piera Peroni à Milan, qui lui a un jour donné l'idée de ce livre dans les bureaux de son magazine *Abitare* ; Terence Conran à Londres, José Alvarez à Paris, ainsi que tous ceux qui ont ouvert leurs portes à l'auteur et aux photographes de cet ouvrage, et en particulier Thomas Elamrami, Mr. Amor, Patrick Raynal, Louis Audibert et Mme Stern.

Enfin, l'éditeur tient à remercier tout d'abord Élisabeth Pelegrin Genel qui a accepté de prendre le temps nécessaire dans une carrière bien remplie pour se plier aux contraintes d'un ouvrage illustré, et Daniele Mazingarbe qui a permis la rencontre entre l'auteur et l'éditeur. Des remerciements vont à toute l'équipe qui a collaboré à la réalisation de cet ouvrage : Marc Walter, Ruth Eaton et Sabine Greenberg, Christian Sarramon et Safia Bendali, Olivier Canaveso et Barbara Kekus, Marguerita Mariano et Nelly Morin, ainsi que Claire Lamotte et Véronique Manssy, Sophie Alibert et Elsa Tardif.